ANDREA CAMILLERI

Italien d'origine sicilienne, âgé de 78 ans, Andrea
Camilleri a longtemps travaillé pour le théâtre, la
radio et la télévision, qui a diffusé son adaptation
des enquêtes du commissaire Maigret. Ami de
Leonardo Sciascia, il a publié des poèmes et des
nouvelles, avant de se mettre à écrire dans la langue
de cette Sicile qu'il a quittée tôt pour y revenir sans
cesse. Depuis quatre ans, la rumeur d'abord, l'intérêt des médias ensuite, ont donné naissance en Italie
à ce qu'on appelle le " phénomène Camilleri ".
Parmi ses derniers romans, *La voce del violino* a
connu un immense succès dans son pays.

LA VOIX DU VIOLON

ANDREA CAMILLERI

LA VOIX DU VIOLON

Traduit de l'italien (Sicile)
par Serge Quadruppani
avec l'aide de Maruzza Loria

Texte proposé par Serge Quadruppani

FLEUVE NOIR

Titre original :
LA VOCE DEL VIOLINO
Publié pour la première fois
par Sellerio Editore, Palermo (Sicile)

© 1997, Sellerio Editore, Palermo
© 2001, éditions Fleuve Noir, un département d'Univers Poche,
pour la traduction française
ISBN : 2-266-11568-5

Avertissement du traducteur

Une bonne part de l'immense succès remporté par Andrea Camilleri tient à son usage si personnel de la langue, et en particulier, à l'usage d'un parler régional sicilien.

L'inversion du verbe et du sujet, les déformations lexicales, l'utilisation singulière du passé simple, caractéristique de cet italo-sicilien, ont été transposés pour tenter de faire percevoir au lecteur français la sensation d'étrange familiarité qu'éprouve le lecteur italien de Camilleri.

Pour plus d'informations sur l'auteur et les problèmes posés par sa traduction, on se reportera à la préface de *La Forme de l'eau*.

1

Que ce ne serait vraiment pas son jour, le commissaire Salvo Montalbano s'en persuada à l'instant où il rouvrit les volets de sa chambre à coucher. Il faisait encore nuit, il s'en fallait encore d'une heure que ce soit l'aube, mais l'obscurité était déjà moins épaisse, assez éclaircie pour laisser voir le ciel couvert de denses nuages de pluie et, au-delà de la bande claire de la plage, la mer qu'on aurait dit un pékinois. Depuis le jour où un minuscule chien de race, tout pomponné, après un furieux postillonnage censé être un aboiement, lui avait douloureusement mordu un mollet, Montalbano appelait ainsi la mer quand elle était agitée par de brèves rafales froides qui provoquaient des myriades de vaguelettes surmontées de ridicules panaches d'écume. Son humeur s'aggrava, étant donné que ce qu'il devait faire dans la matinée n'était pas agréable : se rendre à un enterrement.

La veille au soir, ayant trouvé au frigo des

anchois bien frais achetés pour lui par Adelina, sa bonne, il se les était bâfrés en salade, assaisonnés avec force jus de citron, huile d'olive et poivre noir moulu sur le moment. Il s'était régalé, mais pour lui gâcher tout, il y avait eu un coup de fil.

— Allô, *dottori* ? *Dottori*, c'est vous-même en pirsonne au tiliphone ?

— Moi-même en pirsonne même, Catarè. Parle tranquille.

Catarella, au commissariat, ils l'avaient mis à répondre aux coups de fil dans la conviction erronée que là, il pourrait faire moins de dégâts qu'ailleurs. Montalbano, après quelques emmerdements de première grandeur, avait compris que le seul moyen d'avoir avec lui un dialogue dans des limites de délire tolérables, c'était d'adopter le même langage que lui.

— Je vous demande votre pardonnement et votre compression, *dottori*.

Aïe aïe. Il demandait pardon et compréhension. Montalbano tendit l'oreille, si le soi-disant italien de Catarella devenait cérémonieux et pompeux, cela signifiait que la quistion n'était pas légère.

— Parle sans hésitement, Catarè.

— Trois jours passés, on vous a cherché précisément vous de vous, *dottori*, vous étiez pas là, mais je me suis oublié de vous en faire la référence.

— D'où est-ce qu'on a appelé ?

— De la Floride, *dottori*.

Il fut frappé de terreur, littéralement. En un éclair, il se vit en survêtement en train de faire du footing avec de vaillants et athlétiques agents américains de l'*Antinarcotic Bureau* lancés avec lui dans une complexe enquête sur le trafic de drogue.

— Juste par curiosité, comment vous vous êtes parlé ?

— Et comment on devait se parler ? En talien, *dottori*.

— Ils t'ont dit ce qu'ils voulaient ?

— Bien sûr, tout sur chaque chose ils me dirent. Ils dirent comme ça que mourusse la femme au vice-questeur Tamburanno.

Il poussa un soupir de soulagement, pas moyen de se retenir. C'était pas de Floride qu'ils avaient appelé, mais du commissariat de Floridia, à Syracuse. Caterina Tamburrano était très malade depuis un moment et la nouvelle ne le prenait pas par surprise.

— *Dottori*, toujours vous en pirsonne, vous êtes ?

— Toujours moi, je suis, Catarè, j'ai pas changé.

— Ils dirent aussi que les funébrailles, ils les faisaient jeudi matin à neuves heures.

— Jeudi ? C'est-à-dire demain matin ?

— Oh que si, *dottori*.

Il était trop ami de Michele Tamburrano pour ne pas aller à l'enterrement, ce qui rattraperait un peu le fait qu'il ne se soit pas manifesté, même pas par un coup de fil. De Vigàta à Floridia, au moins trois heures et demie de route.

— Ecoute, Catarè, ma voiture est chez le mécanicien. J'ai besoin d'un véhicule de service pour demain matin à cinq heures précises chez moi, à Marinella. Avertis le *dottor* Augello que moi, je serai absent et je rentrerai en début d'après-midi. Tu as bien compris ?

Il sortit de la douche la peau couleur langouste : pour contrebalancer la sensation de froid à la vue de la mer, il avait abusé de l'eau bouillante. Il commença à se raser et entendit arriver la voiture de service. Du reste qui, dans un rayon d'une dizaine de kilomètres, ne l'avait pas entendue arriver ? L'automobile se catapulta à la vitesse de l'ultrason, freina dans un grand crissement en balançant des rafales de gravier qui rebondirent dans toutes les directions, puis il y eut un rugissement désespéré de moteur emballé, un déchirant changement de vitesse, un grincement de pneus aigu, une autre rafale de gravier. Le conducteur avait manœuvré pour se remettre en position de départ.

Quand il sortit de la maison, prêt à partir, il y avait Gallo, le chauffeur officiel du commissariat, qui jubilait.

— 'Gardez-moi ça, *dottore* ! Regardez les traces ! Vous voyez un peu la manœuvre ! J'ai fait tourner la voiture sur elle-même !

— Bravo, dit sombrement Montalbano.

— Je mets la sirène ? demanda Gallo au moment où ils partaient.

— Oui, dans ton cul, répondit Montalbano, mauvais.

Et il ferma les yeux, il n'avait pas envie de parler.

Dès qu'il vit que son supérieur fermait les yeux, Gallo, qui souffrait du complexe d'Indianapolis, commença à augmenter la vitesse pour atteindre un kilométrage horaire à la hauteur des talents de conducteur qu'il s'attribuait. Et c'est ainsi que, pas même un quart d'heure après le départ, survint le choc. Au grincement des freins, Montalbano rouvrit les yeux mais ne vit rin de rin, sa tête fut d'abord violemment projetée en avant puis tirée en arrière par la ceinture de sécurité. S'ensuivit un catastrophique fracas de tôle contre tôle et puis le silence revint, un silence de conte de fées, avec chant des petits oiseaux et aboiements des chiens.

— Tu t'es fait mal ? demanda le commissaire à Gallo en voyant qu'il se massait la poitrine.

— Non. Et vous ?

— Rien. Mais comment ça se passa ?

— Une poule me coupa la route.

— Jamais vu une poule traverser quand une voiture arrive. Voyons les dégâts.

Ils descendirent. Il ne passait pas âme qui vive. Les traces du long coup de frein s'étaient imprimées sur l'asphalte : juste au début de celles-ci, on remarquait un petit tas sombre. Gallo s'approcha, se tourna vers le commissaire, l'air triomphant.

— Qu'est-ce que je vous disais ? Une poule, c'était !

Un suicide, c'était clair. La voiture contre laquelle ils étaient allés se jeter, lui fracassant tout l'arrière, devait avoir été en stationnement régulier au bord de la route, mais le choc l'avait mise un peu de travers. C'était une Renault Twingo vert bouteille, placée de manière à bloquer l'entrée d'un chemin de terre qui, au bout d'une trentaine de mètres, conduisait à une petite villa à deux étages, aux volets tirés sur la porte et les fenêtres.

L'auto de service avait, elle, un phare en miettes et l'aile droite en accordéon.

— Et maintenant, qu'est-ce qu'on fait ? demanda Gallo, désespéré.

— On s'en va. D'après toi, la voiture roule ?

— Je vais essayer.

En ferraillant en marche arrière, le véhicule de service se libéra de son encastrement dans l'autre voiture. Là non plus, personne ne se mit à l'une des fenêtres de la petite villa. Ils devaient dormir d'un sommeil de plomb, parce que certainement, la Twingo devait appartenir à quelqu'un de la maison, il n'y avait aucune autre habitation dans les parages. Tandis que Gallo, à deux mains, tentait de soulever l'aile, Montalbano écrivit sur un bout de papier le numéro de téléphone du commissariat et le glissa sous un essuie-glace.

Quand c'est pas le jour, c'est pas le jour. Au bout d'une demi-heure qu'ils étaient repartis, Gallo recommença à se masser le torse, de temps en temps son visage se déformait d'une grimace de douleur.

— Je conduis, dit le commissaire et Gallo ne protesta pas.

A la hauteur de Fela, au lieu de poursuivre sur la nationale, Montalbano prit une déviation qui conduisait au centre du bourg. Gallo ne s'en aperçut pas, il gardait les yeux fermés et la tête appuyée à la vitre.

— Où on est ? demanda-t-il en rouvrant les yeux dès qu'il entendit la voiture s'arrêter.

— Je t'emmène à l'hôpital de Fela. Descends.

— Mais c'est rien, commissaire.

— Descends. Je veux qu'ils te donnent un coup d'œil.

— Mais vous, laissez-moi là et continuez. Vous me reprenez en revenant.

— Dis pas de conneries. Bouge-toi.

Le coup d'œil qu'ils donnèrent à Gallo, entre les auscultations, les triples prises de tension, radiographies et tout le tralala durèrent plus de deux heures. A la fin, ils arrêtèrent que Gallo n'avait rien de cassé, la douleur était due au fait qu'il s'était salement cogné contre le volant et l'état de faiblesse était attribuable à la frousse qu'il s'était prise.

— Et maintenant, qu'est-ce qu'on fait ? redemanda Gallo toujours plus désespéré.

— Qu'est-ce que tu veux faire ? On continue. Mais c'est moi qui conduis.

A Floridia, il était déjà venu deux ou trois fois, il se rappelait aussi où habitait Tamburrano. Il se dirigea donc vers l'église de la Madone des Grâces qui était quasiment collée à la maison du collègue. Arrivé sur la place, il découvrit l'église avec des parements de deuil, des gens qui se dépêchaient d'entrer. La cérémonie avait dû débuter en retard, les contretemps ne lui étaient pas réservés.

— Je vais au garage du commissariat pour montrer la voiture, dit Gallo, puis je repasse vous prendre.

Montalbano entra dans l'église pleine de monde, la cérémonie avait à peine commencé. Il regarda autour de lui, ne reconnut personne. Tamburrano devait être au premier rang, près de la balustrade devant le maître autel. Le commissaire décida de rester où il était, à côté de la porte d'entrée : il serrerait la main à Tamburrano quand le cercueil sortirait de l'église. Aux premiers mots du curé, alors que la messe se déroulait depuis un bon moment déjà, il sursauta. Il avait bien entendu, il en était certain.

Le curé avait commencé à dire :

— Notre très cher Nicola a quitté cette vallée de larmes…

Prenant son courage à deux mains, il toucha l'épaule d'une petite vieille.

— Excusez-moi, madame, de qui est cet enterrement ?

— Du pauvre comptable Pecoraro. Pirquoi ?

— Je croyais que c'était celui de Mme Tamburrano.

— Ah. Mais celui-là, ils l'ont fait à l'église de Sant'Anna.

Pour arriver à pied à l'église de Sant'Anna, il lui fallut un bon quart d'heure, en courant presque. Haletant et transpirant, il trouva le curé dans la nef déserte.

— Pardonnez-moi, les funérailles de Mme Tamburrano ?

— Elles sont finies depuis deux heures, dit le curé en le toisant sévèrement.

— Vous savez si on l'enterre ici ? demanda Montalbano, en évitant le regard noir du curé.

— Mais non ! Après la messe, on l'a emportée pour l'emmener à Vibo Valentia. On l'enterrera là, dans la tombe de famille. Son mari, le veuf, a voulu la suivre avec sa voiture.

Et ainsi tout avait été inutile. Il avait remarqué, sur la place de la Madone des Grâces, un café avec des tables en terrasse. Quand Gallo arriva dans la voiture rafistolée du mieux possible, il était presque deux heures. Montalbano lui raconta ce qui s'était passé.

— Et maintenant, qu'est-ce qu'on fait ? demanda Gallo pour la troisième fois de la matinée, perdu dans un abîme de désolation.

— Tu te manges une brioche avec du granité, qu'ici ils le font bien et puis on rentre. Si le Seigneur nous assiste et si la Madone nous accompagne, pour six heures, on sera à Vigàta.

La prière fut exaucée, ils roulèrent que c'était un régal.

— La voiture est encore là, dit Gallo alors que Vigàta était déjà en vue.

La Twingo se trouvait comme ils l'avaient laissée dans la matinée, légèrement de travers à l'entrée du chemin de terre.

— Ils auront déjà téléphoné au commissariat, dit Montalbano.

Du pur boniment : la vue de la voiture et celle de la petite maison aux volets tirés l'avait mis mal à l'aise.

— Fais demi-tour, ordonna-t-il tout à coup à Gallo.

Celui-ci exécuta une dangereuse manœuvre suivant un trajet en U qui déchaîna un chœur d'avertisseurs et, à la hauteur de la Twingo, en fit une autre encore plus hasardeuse pour freiner ensuite derrière la voiture endommagée.

Montalbano descendit en hâte. Tout à l'heure, en passant, il avait vu juste, dans le rétroviseur : le papier avec le numéro de téléphone était encore sous l'essuie-glace, personne ne l'avait touché.

— Ça me dit rien qui vaille, ça, dit le commissaire à Gallo qui s'était mis à ses côtés.

Il s'avança dans le chemin. La maison avait dû être construite récemment, l'herbe devant la porte d'entrée était encore brûlée par la chaux. Il y avait aussi des tuiles neuves entassées dans un coin de la cour. Le commissaire observa attentivement les fenêtres, aucune lumière ne filtrait.

Il s'approcha de la porte, appuya sur la sonnette. Il attendit un moment, sonna de nouveau.

— Tu sais à qui ça appartient ? demanda-t-il à Gallo.

— Oh que non, *dottore*.

Que devait-il faire ? Le soir tombait, il ressentait un début de fatigue, il sentait sur son dos le poids de cette journée inutile et épuisante.

— Allons-nous-en, dit-il et, dans une vaine tentative pour se convaincre, il ajouta : Ils ont sûrement téléphoné.

Gallo lui jeta un regard dubitatif mais n'ouvrit pas la bouche.

Gallo, le commissaire le laissa même pas rentrer au bureau, il l'expédia tout de suite chez lui se reposer. Son adjoint, Mimì Augello, n'était pas là, il avait été appelé au rapport par le nouveau Questeur de Montelusa, Luca Bonetti-Alderighi, un jeune et sémillant bergamasque qui avait réussi, en un mois, à s'attirer partout des antipathies mortelles.

— Le Questeur [1], l'informa Fazio, le gradé auquel Montalbano faisait le plus confiance, s'est inquiété de ne pas vous avoir trouvé à Vigàta. Alors, c'est le *dottor* Augello qui a été obligé d'y aller.

— Il a été obligé ? Mais celui-là, il aura saisi au vol l'occasion de se mettre en valeur !

Il raconta à Fazio l'incident de la matinée et lui demanda s'il savait qui étaient les propriétaires de la villa. Fazio l'ignorait, mais il assura à son supérieur que le lendemain matin, il irait s'informer à la mairie.

— Ah, votre voiture est dans notre garage.

Avant de rentrer chez lui, le commissaire interrogea Catarella.

— Ecoute, essaie de te rappeler. Est-ce que par hasard, on a appelé pour une auto qu'on a tamponnée ?

Aucun appel.

— Explique-moi mieux, dit d'une voix altérée Livia, qui appelait de Boccadasse, faubourg de Gênes.

— Mais qu'est-ce qu'il y a à expliquer, Livia ? Je te l'ai dit et je te le répète. Les papiers pour l'adoption de François ne sont pas encore prêts,

1. Equivalent d'un préfet de police. La Questure est l'équivalent d'une préfecture de police comme l'Evêché, à Marseille. (*N.d.T.*)

des difficultés imprévues ont surgi et moi, j'ai plus pour me soutenir le vieux Questeur qui était toujours prêt à tout aplanir. Il faut de la patience.

— Je ne parlais pas de l'adoption, dit Livia, glaciale.

— Ah non ? Et de quoi tu parlais, alors ?

— De notre mariage, je parlais. Nous pouvons nous marier pendant que les difficultés de l'adoption se résolvent. Les deux choses ne sont pas interdépendantes.

— Bien sûr qu'elles ne le sont pas, dit Montalbano qui commençait à se sentir débusqué et coincé.

— Je veux une réponse précise à la question que je te pose maintenant, poursuivit Livia, implacable. Imaginons que l'adoption soit impossible. Qu'est-ce qu'on fait, d'après toi, on se marie quand même, ou pas ?

Un soudain et très fort roulement de tonnerre lui fournit la solution.

— C'était quoi ? demanda Livia.

— Le tonnerre. Il y a un orage terri…

Il raccrocha, débrancha la prise.

Impossible de dormir. Il se tournait et se retournait dans le lit en s'emberlificotant dans le drap. Vers deux heures du matin, il comprit qu'il était inutile d'essayer de dormir. Il se leva, s'habilla, prit un sac de cuir que lui avait offert longtemps auparavant un cambrioleur devenu par la suite un ami, monta en voiture, partit. L'orage continua, encore plus fort, des éclairs illuminaient la campagne *a giorno*. A la hauteur de la Twingo, il enfonça sa voiture sous les arbres, alluma les phares. Dans la boîte à gants, il prit le pistolet, une paire de gants et une torche. Il attendit que la pluie diminue et d'un bond, traversa la route, remonta le chemin, s'aplatit contre la porte. Il sonna longuement et n'eut pas de réponse. Il passa les gants et tira du sac de cuir un gros anneau auquel pendaient une douzaine de clés de formes variées. A la troisième tentative, la porte s'ouvrit, elle n'était que tirée, on n'avait pas donné de tour de clé. Il entra, ferma derrière lui. Dans le noir, il s'inclina, délaça ses chaussures trempées et les retira, restant en chaussettes. Il alluma la torche en la gardant pointée vers le sol. Il se trouvait à l'intérieur d'une vaste salle à manger avec salon contigu. Les meubles sentaient le vernis, tout était neuf, propre et en ordre. Une porte donnait sur une cuisine briquée au point de paraître sortie d'une réclame ; une autre porte donnait dans une salle de bains si impeccable et brillante qu'on eût dit que personne n'y était jamais entré. Lentement, il se hissa dans l'escalier menant à l'étage. Il y avait trois portes closes. La première qu'il ouvrit lui laissa voir une chambrette bien propre pour une personne ; la deuxième le fit accéder à une salle de bains plus vaste que celle du rez-de-chaussée mais, au contraire de celle-là, il y régnait un désordre remarquable. Une sortie de bain en éponge, rose, avait été jetée à terre comme si la personne qui la portait s'était levée en hâte. La troisième chambre était la principale, celle du ou des maîtres de maison. Et certainement à la blonde et jeune maîtresse de maison appartenait le corps nu presque agenouillé, ventre appuyé au bord du lit, bras en croix, visage enfoui dans le drap réduit en lambeaux par les ongles de la femme qui l'avaient griffé dans les affres de la mort par étouffement. Montalbano s'approcha du cadavre, le toucha légèrement après s'être ôté un gant : il était raide et glacé. Elle avait dû être très belle. Le commissaire redescendit l'escalier, remit ses chaussures, essuya avec son mouchoir la tache humide qu'elles avaient laissée sur le sol, sortit de la villa, ferma la porte, traversa la route, monta en voiture, partit. Il réfléchissait frénétiquement, tandis qu'il rentrait à Marinella. Comment faire découvrir le crime ? Il ne pouvait certes pas aller dire au juge ce qu'il avait manigancé. Le juge qui avait remplacé le *dottor* Lo Bianco, lequel s'était mis en congé sans solde pour approfondir ses interminables recherches historiques sur deux de ses pseudo-ancêtres, était un Vénitien qui de son nom s'appelait Nicolò et de son petit nom Tommaseo et qui à chaque instant vous balançait ses « incontournables prérogatives ». Il avait une petite tronche de vieux minot qu'il cachait sous une barbe et une moustache de martyr de Belfiore. Comme il ouvrait la porte de chez lui, à Montalbano la solution du problème apparut en un éclair. Et ce fut ainsi qu'il put dormir comme un bébé.

2

Il arriva au bureau à huit heures et demie, reposé et ragaillardi.

— Tu le savais que le Questeur est noble ? fut la première chose que lui dit Mimì Augello en le voyant.

— C'est un jugement moral ou un fait héral-dique ?

— Héraldique.

— Je l'avais compris au tiret entre les deux noms. Et toi qu'est-ce que tu as fait, Mimì ? Tu l'as appelé comte, baron, marquis ? Tu l'as bien léché ?

— Allez, Salvo, tu es obsédé !

— Moi ?! Fazio m'a dit qu'au téléphone avec le Questeur, tu frétillais et qu'ensuite tu es parti comme une fusée pour aller le voir.

— Ecoute, le Questeur m'a dit textuellement : « Si le commissaire Montalbano n'est pas trou-vable, venez vous-même immédiatement. » Qu'est-ce que je devais faire ? Lui répondre que je ne pouvais pas parce que autrement mon supérieur se fâcherait ?

— Qu'est-ce qu'il voulait ?

— Je n'étais pas seul. Il y avait la moitié de la province. Il nous a communiqué qu'il avait l'intention de moderniser, de rénover. Il a dit que celui qui n'était pas capable de le suivre dans cette accélération pouvait aller à la casse. Il a vraiment dit comme ça : à la casse. C'était clair pour tout le monde qu'il pensait à toi et à Sandro Turri de Calascibetta.

— Explique-moi mieux comment vous avez fait pour comprendre ça.

— Parce que quand il a dit « à la casse », il a regardé longuement d'abord Turri et puis moi.

— Mais il ne se peut pas qu'il ait justement voulu faire allusion à toi ?

— Allez, Salvo, tout le monde sait qu'il ne t'aime pas.

— Que voulait le sieur prince ?

— Nous dire que dans quelques jours des ordinateurs ultra-modernes vont arriver, chaque commissariat en sera doté. Il a voulu que chacun de nous lui donne le nom d'un agent particulièrement calé en informatique. Et c'est ce que j'ai fait.

— Mais tu es fou ? Personne ici n'y pige que dalle à ces conneries. Quel nom tu lui as donné ?

— Catarella, dit Mimì Augello, sérieux et impassible.

Un acte de saboteur-né. Aussi sec, Montalbano se leva et courut embrasser son adjoint.

— Je sais tout sur la villa qui vous intéresse, dit Fazio en s'asseyant sur la chaise devant le bureau du commissaire. J'ai parlé avec le secrétaire de mairie qui connaît de chaque personne de Vigàta ses vie, mort et miracles.

— Raconte.

— Donc. Le terrain sur lequel s'élève la villa appartenait au *dottore* Rosario Licalzi.

— *Dottore* en quoi ?

— Un vrai docteur, un médecin. Il est mort il y a une quinzaine d'années et l'a laissé à son fils aîné, Emanuele, lui aussi médecin.

— Il habite à Vigàta ?

— Que non. Il vit et travaille à Bologne. Il y a deux ans, cet Emanuele Licalzi s'est marié avec une môme de là-bas. Ils sont venus en Sicile en voyage de noces. La fille a vu le terrain et de ce moment-là, elle s'est mis dans le crâne qu'elle voulait se faire construire une villa. Et c'est tout.

— Tu sais où ils sont, en ce moment, les Licalzi ?

— Le mari est à Bologne, elle, jusqu'à voilà trois jours, on l'a vue dans le village qui trafiquait pour arranger sa villa. Elle a une Twingo vert bouteille.

— Celle que Gallo a emboutie.

— Oui. Le secrétaire m'a dit qu'elle ne peut pas passer inaperçue. Il paraît qu'elle est très belle.

— Je ne comprends pas pourquoi elle n'a pas encore téléphoné, dit Montalbano qui, quand il s'y mettait, savait être un brillant acteur.

— Je me suis fait une idée, dit Fazio. Le secrétaire m'a dit que cette dame est, comment dire, liante, elle a beaucoup d'amis.

— Femmes ?

— Et hommes, souligna Fazio de manière significative. Peut-être qu'elle est invitée chez des gens, ils sont peut-être venus la chercher avec leur voiture. Ce n'est que quand elle rentrera qu'elle s'apercevra de l'accident.

— C'est plausible, conclut Montalbano en poursuivant son cinéma.

A peine Fazio fut-il sorti, le commissaire téléphona à Mme Clementina Vasile Cozzo.

— Chère madame, comment allez-vous ?

— Commissaire ! Quelle bonne surprise ! On fait aller, par la grâce de Dieu.

— Pourrais-je passer vous faire un petit bonjour ?

— Vous êtes le bienvenu à n'importe quel moment.

Mme Clementina Vasile Cozzo était une vieille dame paralytique, une ex-institutrice baignée d'intelligence et dotée d'une dignité naturelle de bon aloi. Le commissaire avait fait sa connaissance au cours d'une enquête complexe trois mois auparavant et lui était resté filialement attaché. Montalbano ne se le disait pas ouvertement, mais elle était la femme qu'il aurait voulu se choisir comme mère, il avait perdu la sienne quand il était trop pitchounet, il n'en gardait en mémoire qu'une espèce de luminescence dorée.

— Elle était blonde, maman ? avait-il demandé une fois à son père pour tenter de s'expliquer pourquoi le souvenir de sa mère ne consistait qu'en une nuance lumineuse.

— *Frumento sutta u suli*, blé sous le soleil, avait été la réponse sèche du père.

Montalbano avait pris l'habitude d'aller trouver Mme Clementina au moins une fois par semaine, il lui racontait une enquête qu'il menait et la vieille dame, reconnaissante de la visite qui venait interrompre la monotonie de ses journées, l'invitait à manger avec elle. Pina, la domestique, était un personnage hargneux et en plus, Montalbano lui était antipathique : elle savait néanmoins préparer des petits plats d'une exquise et désarmante simplicité.

Mme Clementina, vêtue avec beaucoup d'élégance, un châle indien en soie sur les épaules, le reçut au salon.

— Il y a concert, aujourd'hui, murmura-t-elle, mais il est sur le point de finir.

Quatre ans auparavant, Mme Clementina avait appris par la domestique Pina, qui l'avait su à son tour de Jolanda, gouvernante du Maestro Cataldo Barbera, que le célèbre violoniste, lequel habitait l'appartement au-dessus du sien, avait de sérieux problèmes avec les impôts. Elle en avait alors parlé à son fils qui travaillait à l'Intendance des Finances de Montelusa et le problème, qui naissait en fait d'un malentendu, avait été résolu. Une dizaine de jours plus tard, la domestique Jolanda lui avait apporté un mot : « Chère Madame, pour vous remercier, en partie seulement, tous les vendredis matin, de neuf heures et demie à dix heures et demie, je jouerai pour vous. Votre très dévoué Cataldo Barbera. »

Et c'est ainsi que chaque vendredi matin, la vieille dame se parait de pied en cap pour à son tour rendre hommage au Maestro et allait s'asseoir dans une espèce de vestibule-boudoir où on entendait mieux le son. Et le Maestro, à neuf heures et demie pile, depuis l'étage au-dessus, attaquait avec son violon.

A Vigàta, tout le monde connaissait l'existence du Maestro Cataldo Barbera, mais très peu l'avaient vu en personne. Fils d'un cheminot, le futur Maestro avait vu le jour à Vigàta soixante-cinq ans plus tôt, mais il était parti du village quand il n'en avait pas encore dix car son père avait été muté à Catagne. Sa carrière, les Vigatais l'avaient apprise par les journaux : après des études de violon, Cataldo Barbera était rapidement devenu un concertiste de renommée internationale. Pourtant, inexplicablement, au faîte de sa notoriété, il s'était retiré à Vigàta, où il s'était procuré un appartement et vivait en reclus volontaire.

— Que joue-t-il ? demanda Montalbano.

Mme Clementina lui tendit une feuille de papier quadrillé. Le Maestro avait l'habitude d'adresser à la vieille dame, le jour précédant le concert, le programme rédigé au crayon. Les morceaux du jour étaient la *Danse espagnole* de Sarasate et le *Scherzo-Tarantelle* op. 16 de Wieniawski. Lorsque le concert fut terminé, Mme Vasile Cozzo brancha la prise du téléphone, composa un numéro, posa le combiné sur la tablette et se mit à applaudir. Montalbano s'y associa de bon cœur : il ne comprenait rien à la musique, mais il était certain d'une chose et c'était que Cataldo Barbera était un grand artiste.

— Madame, attaqua le commissaire, ma visite est intéressée, j'ai besoin que vous me rendiez un service.

Il poursuivit en lui racontant tout ce qui lui était arrivé le jour d'avant, l'accident, la confusion d'enterrements, la visite nocturne clandestine à la villa, la découverte du cadavre. A la fin de son récit, le commissaire hésita, il ne savait comment formuler sa demande.

Mme Clementina, qui s'était tantôt amusée, tantôt émue, l'encouragea :

— Allez-y, commissaire, n'ayez pas de scrupules. Que voulez-vous de moi ?

— Je voudrais que vous passiez un coup de fil anonyme, dit Montalbano d'un trait.

Il était revenu au bureau depuis une dizaine de minutes quand Catarella lui passa au téléphone le Dr Lactes, chef de cabinet du Questeur.

— Cher Montalbano, comment ça va ? Comment ça va ?

— Bien, dit sèchement Montalbano.

— Je me réjouis de vous savoir en bonne santé, dit le chef de cabinet, histoire de ne pas démentir son surnom « Lactes et miels » qui lui avait été affublé par quelqu'un en raison de sa dangerosité melliflue.

— A vos ordres, l'incita Montalbano.

— Voilà. Il y a moins d'un quart d'heure, une femme a téléphoné au standard de la Questure en demandant à parler personnellement à monsieur le

Questeur. Elle a beaucoup insisté. Le Questeur était occupé et il m'a chargé de prendre la communication. La femme était en proie à l'hystérie, elle criait que dans une villa du lieu-dit Trois Fontaines un crime a été commis. Et puis elle a raccroché. Le Questeur vous prie d'aller là par acquit de conscience et de faire un rapport. La femme a dit aussi que la villa est facilement reconnaissable parce qu'il y a une Twingo vert bouteille garée devant.

— Mon Dieu ! dit Montalbano, commençant à réciter le deuxième acte de son rôle, vu que Mme Clementina Vasile Cozzo avait joué le sien à la perfection.

— Qu'y a-t-il ? demanda intrigué le Dr Lactes.

— Une coïncidence extraordinaire ! dit Montalbano, de l'émerveillement dans la voix. Je vous raconterai après.

— Allô ? Le commissaire Montalbano je suis. Je parle au juge Tommaseo ?

— Oui. Bonjour. Qu'y a-t-il ?

— *Dottor* Tommaseo, le chef de cabinet du Questeur vient de m'informer qu'il a reçu un coup de téléphone anonyme pour dénoncer un crime dans une villa sur le territoire de Vigàta. Il m'a donné l'ordre d'aller jeter un coup d'œil. J'y vais.

— Il n'est pas possible qu'il s'agisse d'une plaisanterie de mauvais goût ?

— Tout est possible. J'ai voulu vous mettre au courant dans le plein respect de vos incontournables prérogatives.

— Bien sûr, dit satisfait le juge Tommaseo.

— J'ai votre autorisation de procéder ?

— Naturellement. Et si un crime a réellement été commis, avertissez-moi immédiatement et attendez ma venue.

Il appela Fazio, Gallo et Galluzzo et leur dit qu'ils devaient aller avec lui au lieu-dit Trois Fontaines pour voir si un homicide avait été commis.

— C'est la même villa sur laquelle vous m'avez demandé des informations ? demanda Fazio ébahi.

— Celle où on a défoncé la Twingo ? renchérit Gallo en regardant son supérieur avec étonnement.

— Oui, répondit aux deux autres le commissaire en prenant une mine humble.

— Quel flair vous avez, vous ! s'exclama Fazio ébloui.

Ils s'étaient à peine mis en route que Montalbano en avait déjà marre, marre de la comédie qu'il devrait jouer en feignant l'étonnement à la vue du cadavre, marre à l'idée du temps que lui feraient perdre le juge, le médecin légiste, la Scientifique qui étaient capables de mettre des heures avant d'arriver sur place. Il décida d'accélérer le rythme.

— Passe-moi le portable, dit-il à Galluzzo qui était assis devant lui.

Au volant, se tenait évidemment Gallo.

Il composa le numéro du juge Tommaseo.

— Montalbano je suis. Monsieur le juge, ce n'était pas une plaisanterie, le coup de fil anonyme. Nous avons hélas trouvé un cadavre de sexe féminin dans la villa.

Les réactions de ceux présents dans la voiture

furent diverses. Gallo fit une embardée, mordit sur la chaussée opposée, effleura un camion chargé de barres de fer, jura, se remit sur sa voie. Galluzzo sursauta, écarquilla les yeux, se tortilla sur son dossier en se retournant pour regarder son supérieur bouche bée. Fazio se raidit visiblement et regarda devant lui sans expression.

— J'arrive tout de suite, dit le juge Tommaseo. Dites-moi exactement où est la villa.

De plus en plus excédé, Montalbano passa le portable à Gallo.

— Explique-lui bien où c'est. Préviens ensuite le Dr Pasquano et la Scientifique.

Fazio ne rouvrit la bouche que lorsque l'auto s'arrêta derrière la Twingo vert bouteille.

— Vous aviez mis vos gants ?

— Oui, dit Montalbano.

— Quoi qu'il en soit, par sécurité, quand on entrera, touchez à tout les mains libres, laissez le plus d'empreintes possible.

— J'y avais déjà pensé, dit le commissaire.

Du mot glissé sous l'essuie-glace, après l'orage de la nuit précédente, il ne restait presque rien, les numéros de téléphone avaient été effacés par l'eau. Montalbano n'y toucha pas.

— Vous deux, regardez là en bas, dit le commissaire à Gallo et à Galluzzo.

Quant à lui, suivi de Fazio, il monta à l'étage supérieur. A la lumière électrique, le corps de la morte lui fit moins d'impression que la nuit d'avant, lorsqu'il l'avait entrevu dans la faible clarté de la torche : il paraissait moins vrai même s'il n'avait pas l'air faux. D'un blanc livide, rigide, le cadavre ressemblait aux moulages en plâtre des victimes de l'éruption de Pompéi. A plat ventre comme il était, il n'était pas possible d'en distinguer le visage, mais sa résistance à la mort avait dû être furieuse, des mèches de cheveux blonds étaient éparpillées sur le drap lacéré, sur le dos et juste sous la nuque on remarquait des marques bleuâtres d'ecchymoses, l'assassin devait avoir employé toute sa force pour maintenir le visage, en l'enfonçant dans le matelas sans que ne puisse plus passer un filet d'air.

Gallo et Galluzzo arrivèrent de l'étage en dessous.

— En bas tout a l'air en ordre, dit Gallo.

D'accord, on aurait dit un plâtre, mais c'était toujours une jeune femme assassinée, nue, dans une position qui du coup lui semblait insupportablement obscène, une intimité close violée, grande ouverte aux huit yeux des policiers. Comme pour lui restituer un minimum de personnalité et de dignité, il demanda à Fazio :

— On t'a dit comment elle s'appelait ?

— Oui. Si c'est Mme Licalzi, elle s'appelle Michela.

Il alla dans la salle de bains, ramassa par terre le peignoir rose, le porta dans la chambre à coucher et en couvrit le corps.

Il descendit au rez-de-chaussée. Si elle avait vécu, Michela Licalzi aurait eu encore pas mal de besogne à faire pour arranger la villa.

Dans le salon se trouvaient, appuyés dans un coin, deux tapis roulés ; un canapé et un fauteuil étaient enveloppés dans la Cellophane de l'usine ; une table basse était posée, jambes en l'air, sur un carton encore emballé. L'unique chose qui semblait rangée était une vitrine à l'intérieur de laquelle avaient été disposés artistiquement les habituels objets d'exposition : deux éventails anciens, une statuette en porcelaine, un étui à violon fermé, de très beaux coquillages de collection.

Les premiers arrivés furent ceux de la Scientifique. Jacomuzzi, le vieux chef de l'équipe, avait été remplacé sur décision du Questeur Bonetti-Alderighi par le jeune Dr Arquà, transféré de Florence. Jacomuzzi, avant même que d'être le chef de la Scientifique, était un exhibitionniste incurable, toujours le premier à prendre la pose devant les photographes, les cameramen ou les journalistes. Montalbano, en se fichant de lui comme il le faisait souvent, l'appelait « *Pippo Baudo* »[1]. Au fond de lui, il croyait peu à l'apport de la recherche scientifique dans une enquête : il soutenait que l'intuition et la raison, tôt ou tard, la résoudraient sans même le support des microscopes et des analyses. Hérésie pure pour Bonetti-Alderighi qui s'en était rapidement débarrassé. Vanni Arquà ressemblait comme deux gouttes d'eau à Harold Lloyd, les cheveux toujours dépeignés, il s'habillait comme les savants distraits des films des années 30 et avait le culte de la science. Montalbano ne pouvait pas le blairer et Arquà le payait d'une égale et cordiale antipathie. L'équipe de la Scientifique arriva au grand complet dans deux voitures qui circulaient

1. Animateur télévisé célèbre en Italie. *(N.d.T.)*

34

toutes sirènes déployées, on se serait presque cru au Texas. Ils étaient huit, tous en civil, et en premier lieu ils déchargèrent des coffres des voitures, des caisses et des mallettes : ils avaient l'air d'une équipe de techniciens de cinéma qui se préparent pour une prise de vue. Quand Arquà entra dans le salon, Montalbano ne le salua même pas, il lui fit signe du pouce que ce qui les intéressait se trouvait à l'étage au-dessus.

Ils n'étaient pas encore tous arrivés que Montalbano entendit la voix d'Arquà.

— Commissaire, excusez-moi, vous voulez monter un instant ?

Il prit tout son temps. Lorsqu'il entra dans la chambre, il se sentit transpercé par le regard du chef de la Scientifique.

— Quand vous l'avez découvert, le cadavre était comme ça ?

— Non, dit Montalbano froid comme un quart de poulet. Il était nu.

— Et où avez-vous pris ce peignoir ?

— Dans la salle de bains.

— Remettez tout comme avant, nom de Dieu ! Vous avez altéré le tableau d'ensemble ! C'est très grave !

Sans rien dire, Montalbano s'approcha du cadavre, prit le peignoir et le mit sur son bras.

— Putain quel cul, les gars !

Celui qui avait parlé était le photographe de la Scientifique, une espèce d'immonde *paparazzi* avec la chemise hors du pantalon.

— Sers-toi, si tu veux, lui dit calmement le commissaire. Elle est déjà en position.

Fazio, qui connaissait le danger que représentait souvent le calme contrôlé de Montalbano, fit un pas vers lui. Le commissaire regarda Arquà dans les yeux :

— Tu as compris pourquoi je l'ai fait, ducon ?

Et il sortit de la chambre. Dans la salle de bains, il se passa rapidement de l'eau sur le visage, jeta le peignoir par terre à peu près où il l'avait trouvé et retourna dans la chambre à coucher.

— Je serai obligé d'en référer au Questeur, dit Arquà, glacial.

La voix de Montalbano descendit de dix degrés plus bas, dans le genre glacial.

— Vous vous entendrez fort bien.

— *Dottore*, Gallo, Galluzzo et moi, on va dehors se fumer une cigarette. On dérange les types de la Scientifique.

Montalbano ne répondit même pas, il était plongé dans ses pensées. Du salon, il remonta à l'étage du dessus, il inspecta la petite chambre et les toilettes.

Au rez-de-chaussée, il avait déjà soigneusement regardé sans trouver ce qui l'intéressait. Par acquit de conscience, il entra un instant dans la chambre à coucher envahie et retournée par la Scientifique et vérifia ce qu'il lui semblait avoir vu avant.

Hors de la villa, il alluma lui aussi une cigarette. Fazio finissait juste de parler sur le portable.

— Je me suis fait donner le numéro de téléphone et l'adresse à Bologne du mari, expliqua-t-il.

— *Dottore*, commença Galluzzo. On était en train de parler, tous les trois, d'un truc bizarre…

— L'*armuar*[1] de la chambre à coucher est encore emballée. Et j'ai même regardé sous le lit, ajouta Gallo.

— Et moi j'ai regardé dans toutes les autres pièces. Mais…

Fazio, qui était sur le point d'en tirer la conclusion, s'arrêta sur un geste de la main de son supérieur.

— … mais les vêtements de la femme sont introuvables, conclut Montalbano.

1. Prononcer « armouare » : un des nombreux emprunts du sicilien au français. (N.d.T.)

3

L'ambulance arriva, venait ensuite la voiture du Dr Pasquano, le médecin légiste.

— Va voir si la Scientifique a fini dans la chambre à coucher, dit Montalbano à Galluzzo.

— Merci, dit le Dr Pasquano.

Sa devise était « eux ou moi », eux étant les types de la Scientifique. Déjà, il ne supportait pas Jacomuzzi et sa bande de débraillés, alors on s'imagine s'il pouvait souffrir le Dr Arquà et ses collaborateurs si visiblement efficaces.

— Beaucoup de besogne ? s'informa le commissaire.

— Peu de choses. Cinq cadavres en une semaine. On n'a jamais vu ça ! C'est la morte saison.

Galluzzo revint pour dire que la Scientifique s'était déplacée dans la salle de bains et dans le dressing, la voie était libre.

— Accompagne le docteur et redescend, dit Montalbano à Gallo cette fois.

Pasquano lui lança un coup d'œil de remercie-ment, il aimait réellement besogner tout seul.

Une bonne demi-heure après, on vit paraître l'auto toute cabossée du juge, lequel ne se décida à freiner qu'après avoir heurté une des voitures de service de la Scientifique.

Nicolò Tommaseo descendit le rouge au visage, son cou de pendu ressemblait à celui d'un galli-nacé.

— C'est une route terrible ! J'ai eu deux acci-dents ! proclama-t-il urbi et orbi.

Il était notoire qu'il conduisait comme un chien drogué.

Montalbano trouva une excuse pour ne pas le laisser monter tout de suite casser les pieds à Pasquano.

— Monsieur le juge, je voudrais vous raconter une histoire curieuse.

Et il lui raconta une partie de ce qui était arrivé le jour précédent, il lui montra l'effet du choc sur la Twingo, lui fit voir ce qui restait du mot écrit et glissé sous l'essuie-glace et lui dit comment il avait commencé à soupçonner quelque chose. Le coup de téléphone anonyme à la Questure de Montelusa avait été comme le fromage sur les macaronis.

— Quelle étrange coïncidence ! s'exclama le juge Tommaseo, sans se mouiller plus que ça.

A peine le juge vit-il le corps nu de la morte qu'il se paralysa. Le commissaire aussi s'arrêta net. Le Dr Pasquano était parvenu de quelque façon à faire tourner la tête de la femme et le visage, resté enfoui jusqu'alors, en était à présent visible. Les yeux étaient écarquillés de manière invraisemblable, ils exprimaient une douleur et une horreur insupportables. Un filet de sang avait coulé de la bouche, elle devait s'être mordu la langue dans les spasmes de l'étouffement.

Le Dr Pasquano prévint la question qu'il haïssait.

— Elle est probablement morte dans la nuit de mercredi à jeudi. Je pourrai être plus précis après l'autopsie.

— Comment est-elle morte ? demanda Tommaseo.

— Vous ne voyez pas ? L'assassin lui a mis le visage contre le matelas et il l'a tenue jusqu'à ce que mort s'ensuive.

— Il devait être d'une force exceptionnelle.

— Ce n'est pas dit.

— Croyez-vous qu'il y ait eu des rapports avant ou après ?

— Je ne saurais le dire.

Quelque chose dans le ton de voix du juge poussa le commissaire à lever les yeux sur lui. Il était en sueur.

— On peut aussi l'avoir sodomisée, insista le juge avec des yeux qui brillaient.

Ce fut un éclair. Il était évident que le *dottore* Tommaseo, dans ce genre de choses, il buvait secrètement du petit-lait. Il lui vint à l'esprit qu'il avait lu quelque part une phrase de Manzoni qui concernait l'autre Nicolò Tommaseo, plus célèbre :

« Je suis Tommaseo qui a un pied à la sacristie et l'autre au bordel. »

Ça devait être un vice de famille.

— Je vous le ferai savoir. Au revoir, dit le Dr

Pasquano rapidement, prenant congé pour éviter d'autres questions.

— Pour moi, c'est le crime d'un maniaque qui a surpris la femme alors qu'elle allait au lit, dit fermement le *dottore* Tommaseo sans détacher les yeux de la morte.

— Notez, monsieur le juge, qu'il n'y a pas eu effraction. Il est assez peu courant qu'une femme nue aille ouvrir la porte de chez elle à un maniaque et le reçoive dans sa chambre à coucher.

— Quel raisonnement ! Elle peut ne s'être rendue compte que cet homme était un maniaque que lorsque... Vous me suivez ?

— Moi je m'orienterais vers le passionnel, dit Montalbano qui commençait à s'amuser.

— Et pourquoi pas ? Pourquoi pas ? renchérit Tommaseo en se grattant la barbe. Nous ne devons pas oublier que c'est une femme qui a donné le coup de fil anonyme. L'épouse trahie. A propos, savez-vous comment joindre le mari de la victime ?

— Oui. Le brigadier Fazio a le numéro de téléphone, répondit le commissaire en sentant son cœur se serrer.

Il détestait donner de mauvaises nouvelles.

— Faites-le-moi communiquer. Je m'en chargerai, dit le juge.

Tous les vices, il avait, le juge Tommaseo. C'était même un charognard.

— On peut l'emmener ? demandèrent les ambulanciers en entrant dans la chambre.

Une heure encore était passée quand ceux de la Scientifique eurent fini leur trafic et repartirent.

— Et maintenant qu'est-ce qu'on fait ? demanda Gallo qui semblait obsédé par cette question.

— Ferme la porte et on retourne à Vigàta. J'ai un pétit que j'y vois plus, dit le commissaire.

Sa domestique Adelina lui avait laissé au frigo un véritable délice : la sauce coralline, faite d'œufs de langouste et d'oursins, pour accommoder les spaghetti. Il mit l'eau sur le feu et, en attendant, il appela son ami Nicolò Zito, journaliste à Retelibera, une des deux télévisions privées qui étaient installées à Vigàta. L'autre, Televigàta, dont le responsable du journal était le beau-frère de Galluzzo, avait des tendances gouvernophiles, quel que soit le gouvernement. Du coup, avec le gouvernement qu'il y avait à ce moment-là, étant donné que Retelibera avait toujours été orientée à gauche, les deux émetteurs locaux se seraient tristement ressemblés, n'eût été l'intelligence, lucide et ironique, d'un homme rouge de poil et d'idées comme Nicolò Zito.

— Nicolò ? Montalbano je suis. Un homicide a été commis, mais…

— … je ne dois pas dire que c'est toi qui m'as prévenu.

— Un coup de fil anonyme. Une voix féminine a téléphoné ce matin à la Questure de Montelusa pour dire que dans une villa du lieu-dit Trois Fontaines, un homicide avait été commis. C'était vrai, une femme jeune, belle, nue.

— Merde !

— Elle s'appelait Michela Licalzi.

— Tu as une photo ?

— Non. L'assassin a emporté son sac et ses vêtements.

— Et pourquoi ?

— Je ne sais pas.

— Alors comment savez-vous qu'il s'agit bien de Michela Licalzi ? Quelqu'un l'a identifiée ?

— Non. On cherche le mari qui vit à Bologne.

Zito lui demanda d'autres détails ; il les lui donna.

L'eau bouillait, il jeta les pâtes. Le téléphone sonna, il eut une seconde d'hésitation, ne sachant s'il devait répondre ou pas. Il redoutait un long coup de fil, qu'il ne pourrait peut-être pas facilement écourter et qui mettrait en péril le point de cuisson précis des pâtes. Ce serait une catastrophe de gaspiller la sauce coralline avec un plat de pâtes trop cuites. Il décida de ne pas répondre. De surcroît, pour éviter que la sonnerie ne perturbe la sérénité d'esprit indispensable pour déguster pleinement sa petite sauce, il débrancha la prise.

Une heure plus tard, satisfait de lui et disponible aux assauts du monde, il rebrancha le téléphone. Il dut aussitôt décrocher le combiné.

— Allô.

— Allô, *dottori* ? C'est vous de vous pirsonnellement ?

— Pirsonnellement, Catarè. Qu'est-ce qu'il y a ?

— Il y a que le juge Tolomeo a appelé.

— Tommaseo, Catarè, mais c'est pas grave. Qu'est-ce qu'il voulait ?

43

— Parler pirsonnellement avec vous pirsonnellement. Il a appelé à le moins à le moins quatre fois. Il dit comme ça que vous lui tiliphoniez vous en pirsonne.

— D'accord.

— Ah, *dottori*, je dois vous communiquer une chose d'importance extrême. On m'a appelé de la Quisture de Montilusa, le commissaire *dottori* qui de nom s'appelle Tontona.

— Tortona.

— Il s'appelle comme il s'appelle. Celui-là. Il dit lui que moi je dois friquenter un concours d'informemathique. Vous, vous en dites quoi ?

— Je suis content, Catarè. Fréquente-le ce cours, comme ça tu te spécialises. Tu es l'homme qu'il faut pour l'informemathique.

— Mirci, *dottori*.

— Allô, *dottor* Tommaseo ? Montalbano je suis.

— Commissaire, je vous ai beaucoup cherché.

— Excusez-moi, mais j'étais très occupé. Vous vous rappelez l'enquête sur le corps retrouvé dans l'eau il y a une semaine ? Il me semble que je vous en ai dûment informé.

— Il y a des développements ?

— Non, rien du tout.

Montalbano sentit le silence interloqué de l'autre, le dialogue qui venait de se terminer n'avait pas le sens commun. Comme prévu, le juge ne s'y arrêta pas.

— Je voulais vous dire que j'ai trouvé le veuf à Bologne, le Dr Licalzi, et je lui ai communiqué, avec le tact adéquat, la funeste nouvelle.

— Comment a-t-il réagi ?

— Bah, comment dire ? Bizarrement. Il ne m'a même pas demandé comment est morte sa femme, qui dans le fond était très jeune. Ce doit être un type froid, il ne s'est presque pas troublé.

Le Dr Licalzi lui avait foutu en l'air tout le plaisir, au charognard Tommaseo. La déception du juge de n'avoir pu jouir, fût-ce téléphoniquement, d'une belle scène de cris et de pleurs était palpable.

— De toute façon, il m'a dit qu'aujourd'hui il ne pouvait absolument pas bouger de l'hôpital. Il a des opérations à faire et son remplaçant est malade. Il prendra l'avion à sept heures cinq demain matin pour Palerme. Je présume donc qu'il sera dans votre bureau vers midi. C'est ce dont je voulais vous mettre au courant.

— Je vous remercie, monsieur le juge.

Gallo, tandis qu'il le ramenait au bureau dans la voiture de service, l'informa que, sur la décision de Fazio, Germanà était allé chercher la Twingo accidentée et qu'il l'avait mise au garage du commissariat.

— Ils ont très bien fait.

La première personne qui entra dans son bureau fut Mimì Augello.

— Je ne viens pas te parler travail. Après-demain, c'est-à-dire dimanche matin tôt, je vais voir ma sœur. Tu veux venir, comme ça tu vois François ? On revient dans la soirée.

— J'espère pouvoir.

— Essaie de venir. Ma sœur m'a laissé entendre qu'elle voulait te parler.

— De François ?

— Oui.

Montalbano s'inquiéta ; ce serait un gros problème si la sœur d'Augello et son mari lui disaient
qu'ils ne pouvaient plus garder le minot avec eux.

— Je ferai mon possible, Mimì. Merci.

— Allô, commissaire Montalbano ? C'est Clementina Vasile Cozzo.

— Quel plaisir, madame.

— Répondez par oui ou par non. J'ai été bonne ?

— Très bonne, oui.

— Répondez toujours par oui ou par non. Vous
venez dîner avec moi ce soir vers neuf heures ?

— Oui.

Fazio entra dans le bureau du commissaire d'un
air triomphant.

— Vous savez, *dottore* ? Je me suis posé une
question. Vu l'état de la villa qui ne paraissait habitée qu'occasionnellement, Mme Licalzi, quand elle
venait de Bologne, où est-ce qu'elle allait dormir ?
J'ai téléphoné à un collègue de la Questure de
Montelusa, celui qui est chargé du mouvement des
hôtels, et j'ai eu la réponse. Mme Michela Licalzi
allait loger, chaque fois, à l'hôtel Jolly de Montelusa. Elle a été enregistrée comme étant arrivée il y
a sept jours.

Fazio l'avait pris à contre-pied. Il s'était promis
de téléphoner à Bologne au Dr Licalzi à peine
arrivé au bureau et au lieu de ça, il avait été distrait,
l'allusion de Mimì à François l'avait passablement
abattu.

46

— On y va maintenant ? demanda Fazio.

— Attends.

Une pensée complètement saugrenue lui passa par la tête, fulgurante, laissant derrière elle une très légère odeur de soufre, celui dont se parfume habituellement le diable. Il se fit donner par Fazio le numéro de téléphone de Licalzi, l'inscrivit sur un papier qu'il mit dans sa poche et le composa.

— Allô, l'Hôpital Maggiore ? Le commissaire Montalbano de Vigàta je suis. Je voudrais parler au professeur Emanuele Licalzi.

— Ne quittez pas, s'il vous plaît.

Il attendit avec discipline et patience. Alors que cette dernière était sur le point de complètement le lâcher, la standardiste redonna signe de vie.

— Le Pr Licalzi est en salle d'opération. Il faudrait réessayer dans une demi-heure.

— Je l'appellerai en cours de route, dit-il à Fazio. Prends le portable, n'oublie pas.

Il téléphona au juge Tommaseo et lui communiqua la découverte de Fazio.

— Ah, je ne vous en ai pas parlé, dit alors Tommaseo. Je lui ai demandé de me fournir l'adresse de sa femme ici chez nous. Il a dit qu'il l'ignorait, que c'était toujours elle qui appelait.

Le commissaire le pria de lui préparer un mandat de perquisition, il allait immédiatement envoyer Gallo le chercher.

— Fazio, on t'a dit quelle est la spécialité du Dr Licalzi ?

— Oh que oui, *dottore*. Il est rajusteur d'os.

A mi-chemin de Vigàta et de Montelusa, le commissaire appela à nouveau l'Hôpital Maggiore de Bologne. Après une attente pas trop longue, Montalbano entendit une voix ferme mais polie.

— Ici Licalzi. Qui est à l'appareil ?

— Pardonnez-moi si je vous ai dérangé, professeur. Je suis le commissaire Salvo Montalbano de Vigàta. Je m'occupe du crime. Je vous prie d'ailleurs de recevoir mes plus sincères condoléances.

— Merci.

Pas un mot de plus ni de moins. Le commissaire comprit que c'était encore à lui de parler.

— Voilà, docteur, vous avez dit aujourd'hui au juge que vous n'aviez pas connaissance de l'adresse de votre femme quand elle venait ici.

— C'est ainsi.

— Nous n'arrivons pas à la trouver, cette adresse.

— Il n'y a tout de même pas un millier d'hôtels entre Montelusa et Vigàta.

Prêt à la collaboration, le Pr Licalzi.

— Pardonnez-moi si j'insiste. En cas d'absolue nécessité, vous n'aviez pas prévu…

— Je ne crois pas que semblable nécessité aurait pu se produire. De toute façon, à Vigàta, j'ai un parent lointain qui y habite, avec lequel la pauvre Michela était entrée en contact.

— Vous pourriez me dire…

— Il s'appelle Aurelio Di Blasi. A présent, excusez-moi, je dois retourner au bloc. Demain vers midi, je serai au commissariat.

— Une dernière question. Ce parent, l'avez-vous informé de l'accident ?

— Non. Pourquoi ? J'aurais dû ?

4

— Une dame tellement exquise, élégante et
belle ! s'exclama Claudio Pizzotta, sexagénaire
distingué et directeur de l'hôtel Jolly de Montelusa. Il lui est arrivé quelque chose ?

— En vérité, nous ne le savons pas encore. Nous
avons reçu de Bologne un coup de fil de son mari
qui s'inquiétait.

— Eh oui. Mme Licalzi, pour ce que j'en sais,
est sortie de l'hôtel mercredi soir et depuis, nous
ne l'avons plus vue.

— Et vous ne vous en êtes pas inquiété ? On est
vendredi soir, il me semble.

— Eh oui.

— Elle vous avait averti qu'elle ne rentrerait pas ?

— Non. Mais, vous voyez, commissaire, cette
dame a l'habitude de descendre chez nous depuis au
moins deux ans. Nous avons eu ainsi tout le temps
de connaître son rythme de vie. Qui n'est pas, comment dire, ordinaire. Mme Michela est une femme
qui ne passe pas inaperçue, vous comprenez ? Et

puis depuis toujours, je me suis préoccupé d'un point en particulier.

— Ah oui ? Lequel ?

— Bon, cette dame a beaucoup de bijoux de grande valeur. Des colliers, des bracelets, des boucles d'oreilles, des bagues... Je l'ai plusieurs fois priée de les déposer dans notre coffre, mais elle a toujours refusé. Elle les tient à l'intérieur d'une espèce de sac, elle n'utilise pas de pochette. Chaque fois, elle m'a dit de me tranquilliser, que les bijoux, elle ne les laisserait pas dans sa chambre, qu'elle les emporterait avec elle. Mais je craignais quand même qu'elle ne se fasse dévaliser. Mais elle souriait, et il n'y avait pas moyen de lui faire entendre raison.

— Vous avez fait allusion au rythme de vie particulier de la dame. Vous pourriez vous expliquer mieux ?

— Naturellement. Cette dame aime sortir jusqu'à très tard. Elle rentre souvent aux premières lueurs de l'aube.

— Seule ?

— Toujours.

— Ivre ? Pompette ?

— Jamais. C'est du moins ce que m'a dit le portier de nuit.

— Voulez-vous me dire quelle raison vous avez, vous, de parler de cette dame avec le portier de nuit ?

Claudio Pizzotta rougit. Visiblement, avec Mme Michela, il avait songé à tremper le biscuit.

— Commissaire, vous comprenez... Une femme si belle et seule... Qu'elle éveille la curiosité, c'est plus que naturel.

— Continuez. Parlez-moi de son rythme.

— Elle dort jusque vers midi, elle ne veut qu'on la dérange sous aucun prétexte. Quand elle se fait réveiller, elle commande le petit déjeuner dans sa chambre et commence à passer et recevoir des coups de fil.

— Beaucoup ?

— Vous voyez, j'ai une liste d'appels qui n'en finit pas.

— Vous savez à qui elle téléphonait ?

— On pourrait le savoir. Mais il faut du temps. De la chambre, il suffit de faire le zéro et on peut téléphoner jusqu'en Nouvelle-Zélande.

— Et pour les communications qui arrivent ?

— Bah, que voulez-vous que je vous dise ? La standardiste, quand l'appel arrive, le passe dans la chambre. Il n'y a qu'une possibilité.

— C'est-à-dire ?

— Que quelqu'un téléphone quand elle n'est pas à l'hôtel, et laisse son nom. En ce cas, le réceptionniste dispose d'un formulaire idoine qu'il place dans le casier des clés.

— Elle déjeune à l'hôtel ?

— Rarement. Ça se comprend, après un solide petit déjeuner si tardif… Mais quand même, c'est arrivé. Et le maître d'hôtel m'a raconté le comportement de cette dame à table, quand elle déjeune.

— Je n'ai pas bien compris, excusez-moi.

— L'hôtel est très fréquenté, des hommes d'affaires, des politiques, des entrepreneurs. Et tous, plus ou moins, finissent par tenter leur chance. Ce qu'elle a de drôle, m'a dit le maître d'hôtel, c'est qu'elle ne joue pas les vierges effarouchées, même elle rend les regards, les sourires… Mais, quand il s'agit de passer aux actes, rien. Ils restent tous la langue pendante.

— A quelle heure sort-elle d'habitude, l'après-midi ?

— Vers seize heures. Et elle rentre quand la nuit est très avancée.

— Elle doit avoir beaucoup d'amis à Montelusa et Vigàta.

— Je suppose.

— Il lui est déjà arrivé de ne pas réapparaître pendant plusieurs jours ?

— Je ne crois pas. Le portier me l'aurait rapporté.

Gallo et Galluzzo arrivèrent en brandissant le mandat de perquisition.

— Quelle est la chambre de Mme Licalzi ?

— La 118.

— J'ai un mandat.

Le directeur joua les offensés.

— Mais, commissaire ! Il n'y avait pas besoin de cette formalité. Il suffisait de demander et moi… Je vous accompagne.

— Non merci.

Le visage de Pizzotta, d'offensé se fit mortellement offensé.

— Je vais prendre la clé, dit-il, sur son quant-à-soi.

Il revint peu après avec la clé et une liasse de feuilles, les avis d'appels reçus.

— Voilà, dit-il en donnant, va savoir pourquoi, la clé à Fazio et les avis à Gallo.

Il baissa la tête d'un coup, à l'allemande, devant

Montalbano, se tourna et s'éloigna, raide comme une marionnette de bois en mouvement.

La chambre 118 était imprégnée de l'inusable Chanel nº 5, sur le coffre porte-bagages se distinguaient deux valises et un sac griffé Vuitton. Montalbano ouvrit l'*armuàr* : cinq robes de grande classe, trois jeans artistiquement usagés ; dans le logement à chaussures, cinq paires à très hauts talons, signées Magli, trois autres dans le genre sportif. Les chemisiers, eux aussi très coûteux, étaient pliés avec un soin extrême ; le rayon des sous-vêtements, rangés par couleur dans le tiroir correspondant, ne comportait que d'aériennes culottes.

— Là-dedans, il n'y a rien, dit Fazio qui, entretemps, avait inspecté les deux valises et le sac.

Gallo et Galuzzo, qui avaient renversé le lit et le matelas, secouèrent négativement la tête et commencèrent à tout remettre en ordre, impressionnés par celui qui régnait dans la chambre.

Sur le bureau, il y avait des lettres, des notes, un agenda et une liasse d'avis d'appels plus épaisse que celle fournie par le directeur à Gallo.

— Ça, on l'emporte, dit le commissaire à Fazio. Regarde aussi dans les tiroirs, prends tous les papiers.

Fazio tira de sa poche un sac de plastique qu'il emmenait toujours avec lui, et commença à le remplir.

Montalbano passa dans la salle de bains. Tout brillait, en ordre parfait. Sur la tablette, un rouge à lèvres Idole, du fond de teint Shiseido, un flacon magnum de Chanel nº 5 et toute la lyre. Une sortie de bain rose, certainement plus douce et plus coûteuse que celle de la villa, était soigneusement suspendue.

Il revint dans la chambre à coucher, sonna pour faire venir la responsable de l'étage. Peu après on frappa et Montalbano dit d'entrer. La porte s'ouvrit et apparut une quinquagénaire très sèche qui, en voyant les quatre hommes, se raidit, blêmit et, dans un filet de voix, demanda :

— Des flics, vous êtes ?

Le commissaire eut envie de rire. Combien de siècles d'abus policiers avait-il fallu pour affiner chez une femme sicilienne une si foudroyante capacité de repérer les flics ?

— Oui, nous le sommes, dit-il en souriant.

La femme de chambre rougit, baissa les yeux.

— Je vous demande pardon.

— Vous connaissez Mme Licalzi ?

— Pourquoi, qu'est-ce qui lui arriva ?

— Depuis quelques jours, on n'a plus de nouvelles. Nous la recherchons.

— Et pour la rechercher, vous emportez ses papiers ?

Il ne fallait pas la sous-estimer, cette femme. Montalbano décida de lui laisser un os.

— Nous avons peur qu'il lui soit arrivé quelque chose.

— Je lui ai toujours dit de faire attention, dit la chambrière. Elle se promène avec un demi-milliard dans son sac !

— Elle sortait avec tant d'argent ? demanda Montalbano, étonné.

— Je ne parlais pas de sous, mais des bijoux

qu'elle a. Et avec la vie qu'elle fait ! Elle rentre tard, se lève tard…

— Ça nous le savons. Vous la connaissez bien ?

— Bien sûr. Depuis la première fois qu'elle est venue avec son mari.

— Vous pourriez m'en dire quelque chose ?

— Ecoutez, c'était vraiment pas une emmerdeuse. Elle avait qu'une seule manie : l'ordre. Quand on lui refaisait sa chambre, elle restait à surveiller que tout soit remis à sa place. Les femmes de chambre de service du matin se recommandaient au Doux Jésus avant de s'attaquer à la besogne du 118.

— Une dernière question : vos collègues de service le matin lui ont jamais dit que la dame aurait reçu un homme dans sa chambre la nuit ?

— Jamais. Et nous, pour ce genre de chose, on a l'œil.

Durant tout le voyage de retour à Vigàta, une question trotta dans la tête de Montalbano : si cette dame était une maniaque de l'ordre, comment se faisait-il que la salle de bains de la maison des Trois Fontaines se trouvait en désordre, avec même le peignoir jeté n'importe comment à terre ?

Durant le dîner (colins très frais bouillis avec deux feuilles de laurier et un plat de très doux *tinnirùme*[1] pour la récréation de l'estomac et de

---

1. Feuilles et tiges d'une spectaculaire variété de courgettes très longues, minces et d'un vert tendre. (*N.d.T.*)

l'intestin) le commissaire raconta à Mme Vasile Cozzo les développements de la journée.

— Il me semble comprendre, dit Mme Clementina, que la vraie question est celle-ci : pourquoi l'assassin s'est-il emporté les robes, les culottes, les chaussures et le sac de la pôvre femme ?

— Eh oui, commenta Montalbano et il n'ajouta rien.

Il ne voulait pas interrompre le fonctionnement de la coucourde de son hôtesse qui, dès qu'elle avait ouvert la bouche, avait mis le doigt sur le problème.

— Moi, de ces choses, poursuivit la vieille dame, je ne peux en parler que d'après ce que je vois à la télévision.

— Vous ne lisez pas de polars ?

— Rarement. Et puis qu'est-ce que ça veut dire, polar ? Qu'est-ce que ça veut dire, roman policier ?

— Bè, il y a toute une littérature qui…

— Bien sûr, mais je n'aime pas les étiquettes. Vous voulez que je vous raconte un polar ? Donc, un tel, après diverses aventures, devient le chef d'une ville. Mais peu à peu, ses administrés sont victimes d'un mal obscur, une espèce de peste. Alors ce monsieur se met à enquêter pour découvrir la cause du mal. Et que je t'enquête, que je t'enquête, il découvre que la racine du mal, c'est précisément lui-même et il se punit.

— Œdipe, dit, presque pour lui-même, Montalbano.

— C'est pas une belle histoire policière ? Revenons à notre discours. Pourquoi un assassin emporte-t-il les vêtements de la victime ? La première réponse est : pour empêcher qu'on l'identifie.

— Ce n'est pas le cas, en l'occurrence, dit le commissaire.

— Exact. Mais il me semble qu'en raisonnant de cette manière, nous suivons la route sur laquelle veut nous mettre l'assassin.

— Je ne comprends pas.

— Je m'explique. La personne qui s'est emporté les affaires veut nous faire croire que tout, dans ces affaires, a la même importance pour elle. Elle nous pousse à considérer ces affaires comme un tout unique. Mais ce n'est pas vrai.

— Eh oui, fit encore Montalbano toujours plus admiratif et toujours plus attentif à ne pas casser par quelque observation inopportune le fil de ce raisonnement.

— En attendant, le sac, pris en soi, vaut un demi-milliard pour les bijoux qui se trouvent dedans. Et donc, pour un voleur normal, avoir volé le sac signifie s'être gagné la journée. Exact ?

— Exact.

— Mais un voleur normal, quel intérêt a-t-il de s'emporter les vêtements ? Aucun. Donc, s'il s'est emporté les robes, les culottes et les chaussures, nous inclinons à penser qu'il ne s'agit pas d'un voleur normal. En fait, c'est un voleur normal qui cherche à se faire passer pour autre chose. Pourquoi ? Peut-être qu'il l'a fait pour brouiller les cartes, il voulait voler le sac qui valait ce qu'il valait, comme il a commis un meurtre, il a tenté d'en dissimuler le vrai motif.

— Exact, dit Montalbano sans qu'on lui ait rien demandé.

— Poursuivons. Peut-être que le voleur de la villa s'est emporté autre chose de valeur que nous ignorons.

— Je peux passer un coup de fil ? demanda le commissaire, pris d'une inspiration soudaine.

Il appela le Jolly de Montelusa, demanda à parler à Claudio Pizzotta, le directeur.

— Ah, commissaire ! Quelle chose atroce ! Terrible ! Nous venons juste d'apprendre par Retelibera, pour cette pauvre Mme Licalzi...

Nicolò Zito avait annoncé la nouvelle et lui, il s'était oublié de voir comment le journaliste avait commenté l'histoire.

— A Televigàta aussi, ils ont fait une émission, ajouta le directeur Pizzota, entre plaisir réel et douleur feinte.

Galluzzo avait fait son devoir avec son beau-frère.

— Que dois-je faire, *dottore* ? demanda le directeur, anxieux.

— Je ne comprends pas.

— Avec ces journalistes. Ils m'assiègent. Ils veulent une interview. Ils ont su que la pauvre dame était descendue chez nous...

De qui avaient-ils pu le savoir, sinon du directeur lui-même ? Le commissaire se représenta Pizzotta au téléphone, en train de convoquer les journalistes en expliquant en long et en large qu'il pourrait faire d'intéressantes révélations sur la victime, belle, jeune et surtout découverte nue...

— Putain, faites comme ça vous chante. Ecoutez,

Mme Michela portait habituellement les bijoux qu'elle possédait ? Elle avait une montre ?

— Bien sûr qu'elle les portait, quoique avec discrétion. Sinon, pourquoi se les serait-elle emmenés de Bologne à Vigàta ? Et quant à la montre, elle gardait toujours au poignet une Piaget superbe, mince comme une feuille de papier.

Il remercia, raccrocha, communiqua à Mme Clementina ce qu'il venait d'apprendre. Elle y réfléchit un moment.

— Maintenant, il faut établir s'il s'agit d'un voleur devenu assassin par nécessité ou d'un assassin qui veut se faire passer pour un voleur.

— Comme ça, d'instinct, moi, à cette histoire de voleur, je n'y crois pas.

— Vous avez tort de vous fier à l'instinct.

— Ma chère madame Clementina, Michela Licalzi était nue, elle venait juste de prendre sa douche, un voleur aurait entendu le bruit, il aurait attendu pour entrer dans la maison.

— Et qui vous dit que le voleur n'était pas déjà dans la maison quand elle est arrivée ? Elle entre et le voleur se planque. Quand elle se met sous la douche, il pense que c'est le bon moment. Il sort de sa cachette, rafle ce qu'il doit rafler mais elle le surprend. Alors le voleur réagit comme nous savons. Et peut-être même qu'il n'avait pas l'intention de la tuer.

— Mais comment il serait entré, ce voleur ?

— Comme vous, commissaire.

Touché, coulé. Montalbano ne répliqua pas.

— Passons aux vêtements, continua Mme Clementina. S'ils ont été emportés pour jouer la comédie, bon. Mais si l'assassin avait besoin de les faire disparaître, ça, c'est une autre paire de manches. Qu'est-ce qu'ils avaient de si importants ?

— Qu'ils pouvaient représenter pour lui un danger, le faire identifier, dit le commissaire.

— Oui, vous avez raison, commissaire. Mais il est clair qu'ils ne constituaient pas un danger quand elle les a endossés. Ils ont dû le devenir après. Et comment ?

— Peut-être qu'ils ont été tachés, avança Montalbano, dubitatif. Peut-être du sang de l'assassin. Pour autant…

— Pour autant ?

— Pour autant qu'il n'y ait pas eu du sang quelque part dans la chambre à coucher. Il y en avait un peu sur les draps, mais il était sorti de la bouche de Mme Michela. Mais peut-être s'agissait-il d'autres taches. Du vomi, pour donner un exemple.

— Ou du sperme, pour donner un autre exemple, dit Mme Vasile Cozzo en rougissant.

Il était tôt pour rentrer chez lui à Marinella et donc Montalbano décida de faire un saut au commissariat pour voir s'il y avait du neuf.

— Ah, *dottori* ! Ah *dottori* ! s'écria Catarella dès qu'il le vit. Vous, vous êtes là ? Au moinss une dizaine de pirsonnes ont tiliphoné ! Toutes, vous pirsonnellement en pirsonne, elles cherchaient ! Moi, sachant pas que vous adveniez, à toutes je dis de tiliphoner l'endemain matin ! Je fis quoi, bien ou mal, *dottori* ?

— Bien tu fis, Catarè, ne t'inquiète pas. Tu le sais, ce qu'elles voulaient ?

— C'étaient toutes des pirsonnes qui disaient d'être des pirsonnes en connaissance de la dame ssassinée.

Sur son bureau, Fazio lui avait laissé le sac de nylon contenant les papiers saisis dans la chambre 118. A côté, se trouvaient les avis d'appels téléphoniques que le directeur Pizzotta avait remis à Gallo. Le commissaire s'assit, tira d'abord de l'enveloppe l'agenda, le feuilleta. Michela Licalzi le tenait en ordre comme sa chambre d'hôtel : rendez-vous, coups de téléphone à passer, lieux où aller, tout était noté avec clarté et précision.

Le Dr Pasquano avait dit, et là-dessus Montalbano était d'accord, que la femme avait été tuée dans la nuit entre mercredi et jeudi. Il alla donc tout de suite regarder la page de mercredi, dernier jour dans la vie de Michela Licalzi. 16 h, téléphoner Meubles Rotondo ; 16 h 30 appeler Emanuele ; 17 h app. Todaro, Plantes et Jardins ; 18 h Anna ; 20 h dîner avec Vassallo.

Mais elle avait pris aussi d'autres engagements pour jeudi, vendredi et samedi, ignorant que quelqu'un l'empêcherait de les remplir. Jeudi, elle aurait dû rencontrer, toujours l'après-midi, Anna avec qui elle serait allée chez Loconte (entre parenthèses : rideaux) pour ensuite conclure la soirée avec un certain Maurizio. Le vendredi, elle devait voir Riguccio, électricien, rencontrer encore Anna et puis aller dîner chez les Cangialosi. Sur la page de samedi, il était simplement annoté : 16 h 30 vol de Punta Raisi pour Bologne.

Dans cet agenda de grand format, la partie carnet de téléphone prévoyait trois pages pour chaque lettre de l'alphabet : eh bien, les numéros notés étaient si nombreux que quelquefois, elle avait dû écrire les numéros de deux personnes différentes sur la même ligne.

Montalbano mit l'agenda de côté, prit les autres papiers dans le sac. Rien d'intéressant, il s'agissait de factures et de reçus fiscaux : le moindre sou dépensé pour la construction et l'ameublement de la villa avait été pointilleusement assorti d'un document. Dans un cahier quadrillé, Mme Michela avait consigné sur une colonne toutes les dépenses, on l'aurait cru prête pour une visite des inspecteurs des impôts. Il y avait un carnet de chèques de la Banca Popolare de Bologne dont ne subsistaient que les talons. Montalbano trouva aussi une carte d'embarquement Bologne-Rome-Palerme de six jours auparavant et un billet de retour Palerme-Rome-Bologne pour samedi à 16 h 30.

Pas l'ombre d'une lettre personnelle, d'un mot privé. Il décida de poursuivre la besogne à la maison.

...

5

Il ne restait plus à examiner que les avis d'appels
téléphoniques. Le commissaire commença par ceux
que Michela rangeait dans le petit bureau de sa
chambre d'hôtel. Ils étaient une quarantaine et
Montalbano les regroupa par noms de correspondant. Les liasses qui à la fin se révélèrent les plus
hautes étaient au nombre de trois. Une femme,
Anna, téléphonait dans la journée et en général laissait comme message de la rappeler dès que Michela
serait réveillée ou quand elle serait rentrée. Un
homme, Maurizio, à deux ou trois reprises, avait
appelé dans la matinée, mais d'habitude il préférait
tard dans la nuit et toujours insistait pour être rappelé. Le troisième aussi était un mâle, il s'appelait
Guido et appelait de Bologne, lui aussi de nuit ;
mais, à la différence de Maurizio, il ne laissait pas
de message.
Les feuillets que le directeur Pizzotta avait lais-
sés à Gallo étaient au nombre de vingt : tous les
appels depuis que Michela était sortie de l'hôtel

l'après-midi de mercredi jusqu'à l'annonce de sa mort. Mercredi matin, pourtant, aux heures que Mme Licalzi consacrait au sommeil, vers dix heures et demie, l'habituel Maurizio l'avait demandée, et peu après Anna avait fait de même. Vers neuf heures du soir, toujours mercredi, Michela avait été demandée par Mme Vassallo, qui avait rappelé une heure après. Anna s'était remanifestée peu avant minuit.

A trois heures du matin, jeudi, Guido avait téléphoné de Bologne. A dix heures et demie, avait appelé Anna (laquelle, à l'évidence, ignorait que Michela n'était pas rentrée à l'hôtel), à onze heures, un certain Loconte avait confirmé le rendez-vous de l'après-midi. A midi, toujours jeudi, avait appelé M. Aurelio Di Blasi qui avait insisté à peu près toutes les trois heures, jusqu'à vendredi sept heures du soir. Guido, de Bologne, avait appelé à deux heures du matin vendredi. Les coups de fil d'Anna, à partir de la matinée de jeudi, s'étaient faits frénétiques : ils s'interrompaient vendredi soir, cinq minutes avant que Retelibera donne la nouvelle de la découverte du cadavre.

Il y avait quelque chose qui ne collait pas, Montalbano n'arrivait pas à le repérer dans l'ensemble et cela le mettait mal à l'aise. Il se leva, sortit sur la véranda qui donnait directement sur la plage, ôta ses chaussures et commença à marcher sur le sable jusqu'au bord de l'eau. Il remonta l'ourlet de son pantalon et se mit à avancer, la mer lui léchant de temps à autre les pieds. La rumeur berceuse de la mer l'aida à mettre en ordre ses pensées. Et soudain, il comprit ce qui le tarabustait. Il rentra chez lui, prit l'agenda, l'ouvrit à la journée de mercredi. Michela avait noté qu'elle devait aller dîner chez Vassallo à vingt heures. Mais alors pourquoi Mme Vassallo l'avait-elle demandée à l'hôtel à neuf et à dix heures du soir ? Michela n'était pas allée au rendez-vous ? Ou bien la Mme Vassallo qui l'avait appelée n'avait rien à voir avec les Vassallo qui l'avaient invitée à dîner ?

Un coup d'œil à sa montre lui apprit qu'il était minuit passé. Il décida que c'était trop important pour s'attarder aux convenances. Dans l'annuaire, il apparut que les Vassallo étaient au nombre de trois. Il composa le premier numéro et mit dans le mille.

— Excusez-moi. Le commissaire Montalbano, je suis.

— Commissaire ! Ici Ernesto Vassallo. Je serais venu moi-même demain matin vous voir. Ma femme est anéantie, j'ai dû appeler le médecin. Il y a du neuf ?

— Rien. Je dois vous demander une chose.

— A votre disposition. Pour la pauvre Michela…

Montalbano le coupa :

— J'ai lu sur l'agenda que mercredi soir, Mme Licalzi devait venir dîner…

Cette fois, ce fut Ernesto Vassallo qui le coupa :

— Elle n'est pas venue, commissaire ! Nous l'avons attendue longtemps. Rien. Pas même un coup de fil, elle qui était si ponctuelle ! Nous nous sommes inquiétés, nous avons eu peur qu'elle soit malade, nous avons appelé deux ou trois fois à l'hôtel, nous l'avons cherchée chez son amie Anna Tropeano, mais elle nous dit qu'elle ne savait rien, elle avait vu Michela vers six heures, elles étaient restées ensemble une demi-heure, puis Michela l'a quittée en lui disant qu'elle allait à l'hôtel se changer pour venir chez nous.

— Ecoutez, je vous suis vraiment reconnaissant. Ne venez pas demain matin au commissariat, j'ai une quantité de rendez-vous, passez dans l'après-midi quand vous voulez. Bonne nuit.

Au point où il en était, il décida d'aller jusqu'au bout. Ayant trouvé sur l'annuaire le nom d'Aurelio Di Blasi, il composa le numéro. La première sonnerie n'était pas terminée qu'à l'autre bout du fil, on soulevait le combiné.

— Allô ? Allô ? C'est toi ? Toi, c'est ?

Une voix d'homme d'âge moyen, haletante, préoccupée.

— Le commissaire Montalbano, je suis.

— Ah.

Montalbano sentit que l'homme éprouvait une profonde déception. De qui attendait-il avec tant d'anxiété un coup de fil ?

— Monsieur Di Blasi, vous aurez certainement appris, pour la pauvre…

— Je sais, je sais, je l'ai entendu à la télévision…

A la déception s'ajoutait un évident agacement.

— Voilà, je voulais savoir pourquoi vous, de jeudi midi jusqu'à vendredi soir, vous avez cherché avec insistance à joindre Mme Licalzi à son hôtel.

— Qu'est-ce qu'il y a de si extraordinaire ? Je suis un lointain parent du mari de Michela. Elle, quand elle venait ici pour sa maison, elle faisait appel à moi pour avoir de l'aide et des conseils. Je suis ingénieur du bâtiment. Jeudi, je lui ai téléphoné pour l'inviter à dîner chez nous, mais le portier m'a dit que la cliente n'était pas rentrée la nuit précédente. Le portier me connaît, il a confiance. Et comme ça, j'ai commencé à m'inquiéter. Vous trouvez ça tellement exceptionnel ?

Maintenant, l'ingénieur Di Blasi s'était fait ironique et agressif. Le commissaire eut l'impression que les nerfs de cet homme allaient le lâcher.

— Non, dit-il et il raccrocha.

Inutile d'appeler Anna Tropeano, il savait déjà ce qu'elle allait lui raconter puisque M. Vassallo le lui avait dit à l'avance. Il la convoquerait au commissariat. A ce point, une chose était sûre : Michela Licalzi avait disparu de la circulation vers sept heures du soir mercredi ; à l'hôtel, elle n'était jamais arrivée même si elle en avait manifesté l'intention à son amie.

Il n'avait pas sommeil et se coucha donc avec un livre, un roman de Denevi, écrivain argentin qui lui plaisait beaucoup.

Quand les paupières commencèrent à lui tomber, il ferma le livre, éteignit la lumière. Comme il faisait souvent avant de s'endormir, il pensa à Livia. Et d'un coup, il se retrouva dressé au milieu du lit, tout à fait réveillé. Seigneur, Livia ! Il ne s'était plus manifesté depuis la nuit de l'orage, quand il avait fait comme si la ligne avait été coupée. Livia n'y avait certainement pas cru, la preuve, c'est qu'elle n'avait plus rappelé. Il fallait rattraper le coup tout de suite.

— Allô ? Mais qui est à l'appareil ? demanda la voix ensommeillée de Livia.

— Salvo je suis, ma chérie.

— Mais laisse-moi dormir !

Clic. Montalbano resta un moment le combiné à la main.

Il était huit heures et demie du matin quand il rentra au commissariat, en emmenant avec lui les papiers de Michela. Après que Livia avait refusé de lui parler, il s'était pris les nerfs et n'avait plus réussi à fermer l'œil. Il n'eut pas besoin de convoquer Anna Tropeano, Fazio lui dit tout de suite que la femme l'attendait depuis huit heures.

— Ecoute, je veux tout savoir sur un ingénieur du bâtiment de Vigàta, il s'appelle Aurelio Di Blasi.

— Vraiment tout ? demanda Fazio.

— Vraiment tout.

— Vraiment tout, pour moi, ça veut dire aussi les bruits, les ragots.

— Pour moi aussi, ça veut dire ça.

— Et j'ai combien de temps ?

— Oh Fazio, tu veux jouer au syndicaliste ? Deux heures te suffisent largement.

Fazio dévisagea son supérieur d'un air indigné et sortit sans même dire au revoir.

Dans des conditions normales, Anna Tropeano devait être une belle trentenaire, aux cheveux très noirs, sombre de peau, de grands yeux étincelants, grande et pulpeuse. Mais là, elle se présentait le dos rond, les yeux rouges et gonflés, la peau tirant sur le gris.

— Je peux fumer ? demanda-t-elle à peine assise.

— Bien sûr.

Elle s'alluma une cigarette. Ses mains tremblaient. Elle tenta un vilain ersatz de sourire.

— J'avais arrêté il y a une semaine. Depuis hier, en fait, j'ai fumé au moins trois paquets.

— Je vous remercie d'être venue spontanément. J'ai besoin que vous m'appreniez pas mal de choses.

— Je suis là.

En son for intérieur, le commissaire poussa un soupir de soulagement. Anna était forte, il n'y aurait pas de pleurs et d'évanouissements. Le fait est que cette femme lui avait plu à l'instant où elle était apparue sur le seuil.

— Même si mes questions peuvent vous sembler étranges, répondez quand même, je vous en prie.

— Bien sûr.

— Mariée ?

— Qui ?

— Vous.

— Non, je ne le suis pas. Ni même séparée ni divorcée. Et pas non plus fiancée, si vous voulez savoir. Je vis seule.

— Pourquoi ?

Quoique Montalbano l'eût prévenue, Anna eut un instant d'hésitation avant de répondre à une question si personnelle.

— Je crois ne pas avoir eu le temps de penser à moi-même. Commissaire, un an avant que je passe la licence, mon père mourut. Un infarctus, très jeune. L'année après ma licence, j'ai perdu ma mère, j'ai dû m'occuper de ma petite sœur, Maria, qui a maintenant vingt-neuf ans et est mariée à Milan, et de mon frère Giuseppe qui travaille dans une banque à Rome et a vingt-sept ans. J'en ai trente et un. Mais, à part cela, je pense ne pas avoir rencontré la personne qu'il me fallait.

Elle n'était pas irritée, elle paraissait même plus calme : le fait que le commissaire ne soit pas entré tout de suite dans le vif du sujet l'avait laissée respirer. Montalbano pensa qu'il valait mieux naviguer encore au large.

— Vous, ici, à Vigàta, vous vivez dans la maison de vos parents ?

— Oui, papa l'avait achetée. Une espèce de maison de campagne, au début de Marinella. Elle est devenue trop grande pour moi.

— C'est celle à droite tout de suite après le pont ?

— Celle-là, oui.

— Je passe devant au moins deux fois par jour. Moi aussi j'habite à Marinella.

Anna Tropeano lui jeta un regard un peu perdu. Quel drôle de flic !

— Vous travaillez ?

— Oui, j'enseigne au lycée scientifique de Montelusa.

— Vous enseignez quoi ?

— La physique.

Montalbano la considéra d'un air admiratif. A l'école, en physique, il avait toujours eu entre 4 et 5 : s'il avait eu, à l'époque, une prof comme ça, peut-être aurait-il pu égaler Einstein.

— Vous le savez, qui l'a tuée ?

Anna Tropeano sursauta, regarda le commissaire avec des yeux implorants : nous étions si bien, pourquoi veux-tu te mettre le masque du flic pire qu'un chien de chasse ? « Tu ne lâches jamais ta prise ? » parut-elle demander.

Montalbano comprit ce que les yeux de la femme lui demandaient, il sourit, écarta les bras dans un geste de résignation, comme pour dire : « C'est mon travail. »

— Non, répondit, ferme et décidée, Anna Tropeano.

— Quelque soupçon ?

— Non.

— Mme Licalzi rentrait habituellement à l'hôtel aux premières heures de la matinée. Je voudrais vous demander...

— Elle venait chez moi. Dans ma maison. Presque chaque soir, nous dînions ensemble. Si elle était invitée dehors, après, elle passait chez moi.

— Qu'est-ce que vous faisiez ?

— Que font deux amies ? Nous parlions, nous regardions la télévision, nous écoutions de la musique. Ou bien nous ne faisions rien, il y avait le plaisir de se sentir proches l'une de l'autre.

— Elle avait des amitiés masculines ?

— Oui, quelques-unes. Mais ce n'est pas ce qu'on pouvait imaginer. Michela était très sérieuse. En la voyant si désinvolte, si libre, les hommes se méprenaient. Et se retrouvaient immanquablement déçus.

— Il y en avait un de particulièrement insistant ?

— Oui.

— Comment s'appelle-t-il ?

— Je ne vous le dis pas. Vous le découvrirez facilement.

— En somme, Mme Licalzi était très fidèle à son mari.

— Je n'ai pas dit ça.

— Qu'est-ce que ça signifie ?

— Ça signifie ce que je viens de dire.

— Vous vous connaissiez depuis très long-temps ?

— Non.

Montalbano la dévisagea, se leva, s'approcha de la fenêtre, alluma presque rageusement une ciga-rette.

— Je n'aime pas le ton qu'a pris la dernière partie de notre discussion, dit-il sans se retourner.

— Moi non plus.

— On fait la paix ?

— On la fait.

Montalbano se retourna, lui sourit. Anna lui rendit son sourire. Mais cela ne dura qu'une seconde, elle leva le doigt comme une écolière, elle avait une question à poser.

— Vous pouvez me dire, si ce n'est pas un secret, comment elle a été tuée ?

— La télévision ne l'a pas dit ?

— Non. Ni Retelibera, ni Televigàta. Ils ont communiqué la découverte et voilà.

— Je ne devrais pas vous le dire. Mais je fais une exception pour vous. On l'a étouffée.

— Avec un coussin ?

— Non, en lui pressant le visage contre le mate-las.

Anna commença à vaciller, elle faisait comme la cime des arbres quand ils subissent les assauts du vent. Le commissaire sortit, revint peu après avec une bouteille d'eau et un verre :

— Seigneur, mais qu'est-ce qu'elle est allée

faire dans la villa ? se demanda-t-elle comme pour
elle-même.

— Vous avez déjà été dans la villa ?

— Bien sûr. Presque chaque jour, avec Michela.

— Elle y a dormi quelquefois ?

— Pas que je sache, non.

— Mais dans la salle de bains, il y avait un peignoir, il y avait des serviettes, des crèmes.

— Je sais. Michela l'avait installée exprès.
Quand elle allait dans la villa pour la ranger, inévi-
tablement, elle finissait par se couvrir de poussière,
de ciment. Alors, avant de s'en aller, elle prenait
une douche.

Montalbano se convainquit que le moment était
venu d'assener un coup bas, mais c'était à contre-
cœur, il n'avait pas envie de trop la blesser.

— Elle était complètement nue.

Anna parut traversée d'un courant à haute tension, elle écarquilla démesurément les yeux, tenta
de dire quelque chose, n'y parvint pas. Montalbano
lui remplit le verre.

— Elle a été... elle a été violée ?

— Je ne sais pas. Le médecin légiste ne m'a pas
encore téléphoné.

— Mais pourquoi au lieu d'aller à l'hôtel est-
elle allée dans cette maudite villa ? se redemanda
désespérément Anna.

— L'assassin a emporté les vêtements, les
culottes, les chaussures.

Anna le fixa, incrédule, comme si le commissaire lui avait sorti un gros bobard.

— Et pour quelle raison ?

Montalbano ne répondit pas, et poursuivit :

— Il s'est emporté aussi le sac avec tout ce qu'il y avait dedans.

— Ça, c'est plus compréhensible. Michela, dans le sac, elle conservait tous ses bijoux, il y en avait beaucoup et de grande valeur. Si celui qui l'a étouffée était un voleur qui a été surpris…

— Attendez. M. Vassallo m'a rapporté qu'en ne la voyant pas arriver pour le dîner, il s'était inquiété et vous a téléphoné.

— C'est vrai. Moi, je la croyais chez eux. En me quittant, Michela m'avait dit qu'elle allait passer à l'hôtel pour se changer.

— A propos, comment était-elle habillée ?

— Elle avait un ensemble en jean, avec des chaussures de sport.

— Et en fait, à l'hôtel, elle n'y est jamais arrivée. Quelqu'un ou quelque chose l'a fait changer d'idée. Elle avait un portable ?

— Oui, elle le gardait dans le sac.

— Et donc je peux penser que pendant qu'elle allait à l'hôtel, quelqu'un lui a téléphoné. Et qu'à la suite de cet appel, elle s'est rendue à la villa.

— C'était peut-être un piège.

— Tendu par qui ? Par le voleur, sûrement pas. Vous avez déjà entendu parler d'un voleur qui convoque le propriétaire de la maison qu'il est en train de cambrioler ?

— Vous avez vu s'il manque quelque chose dans la villa ?

— Sa Piaget, sûrement. Pour le reste, je ne sais pas. J'ignore ce qu'il peut y avoir de valeur dans la villa. Tout paraît en ordre, il n'y a que la salle de bains en désordre.

Le visage d'Anna exprima l'étonnement.

— En désordre ?

— Oui, pensez que la sortie de bain était à terre. Elle venait de prendre une douche.

— Commissaire, vous me brossez un tableau qui ne me convainc guère.

— C'est-à-dire ?

— C'est-à-dire que Michela se serait rendue dans la villa pour y rencontrer un homme et qu'elle était tellement impatiente de coucher avec lui qu'elle s'est débarrassée de son peignoir à toute vitesse, en le laissant tomber par terre n'importe comment.

— C'est plausible, non ?

— Pour d'autres femmes, oui. Pour Michela, non.

— Savez-vous qui est un certain Guido qui, chaque nuit, lui téléphonait de Bologne ?

Il avait tiré au hasard, mais mis dans le mille. Anna Tropeano détourna le regard, mal à l'aise.

— Tout à l'heure, vous m'avez dit qu'elle était fidèle.

— Oui.

— A son unique infidélité ?

Anna fit oui de la tête.

— Vous pouvez me dire comment il s'appelle ? Vous savez, vous me rendez service, vous me faites gagner du temps. Pour ce qui est d'y arriver, soyez tranquille, j'y arriverai de toute façon. Donc ?

— Il s'appelle Guido Serravalle, c'est un antiquaire. Je ne connais ni son téléphone, ni son adresse.

— Merci, ça me suffit. Vers midi, le mari va venir ici. Vous voulez le rencontrer ?

— Moi ?! Et pourquoi ? Je ne le connais même pas.

Le commissaire n'eut pas besoin de questionner davantage, Anna poursuivit d'elle-même.

— Michela a épousé le Dr Licalzi il y a deux ans et demi. C'est elle qui a voulu venir en Sicile en voyage de noces. A cette occasion, nous ne nous sommes pas rencontrées. Ça s'est fait après, quand elle est revenue seule avec l'intention de faire construire la villa. Un jour, j'allais en voiture à Montelusa, une Twingo arrivait en sens inverse, nous étions toutes les deux prises par nos pensées, nous avons bien failli nous heurter de front. Nous sommes descendues pour des excuses réciproques et nous avons sympathisé. Toutes les autres fois que Michela est revenue, elle était toujours seule.

Elle était fatiguée, elle fit peine à Montalbano.

— Vous m'avez été très utile. Merci.

— Je peux m'en aller ?

— Bien sûr.

Et il lui tendit la main. Anna Tropeano la prit, la tint entre les siennes.

Le commissaire sentit en lui comme une bouffée de chaleur.

— Merci, dit Anna.

— Et de quoi ?

— De m'avoir fait parler de Michela. Je n'ai personne avec qui... Merci. Je me sens plus sereine.

6

Anna Tropeano venait juste de partir quand la porte du bureau du commissaire s'ouvrit à la volée en cognant le mur et Catarella entra comme un boulet de canon.

— La prochaine fois que tu entres comme ça, je te bute. Et tu sais que je parle sérieusement, dit Montalbano très calme.

Mais Catarella était trop excité pour s'en soucier.

— *Dottori*, je voulais vous dire qu'on m'a appilé de la Quisture de Montilusa. Vous vous ensouvinez que je vous ai parlé de ce concours d'informemathique ? Il accommence lundi matin et je dois m'y prisenter. Comment vous ferez sans moi au tiliphone ?

— On survivra, Catarè.

— Ah *dottori dottori* ! Vous m'avez dit de pas vous dérangier cependant que vous parlez avec la dame et moi obéissant je fus ! Mais tomba un diluge de coups de tiliphone ! Tous, je les écrivis sur ce morceau.

— Donne et va-t'en.

Sur une page de cahier maladroitement déchirée, il était écrit : « Zon tiliphoné Vizzalllo Guito Sera falle Losconte votre amit Zito Rotonò Totano Ficuccio Cangialosi nouvellement de nouveau Sera falle de Bologne Cipollina Pinissi Cacamo. »

Montalbano se mit à se gratter sur tout le corps. Il devait s'agir d'une mystérieuse forme d'allergie, mais chaque fois qu'il était forcé de lire un écrit de Catarella, il était pris d'un prurit irrésistible. Avec une patience d'ange il décrypta : Vassallo, Guido Serravalle l'amant bolognais de Michela, Loconte qui vendait des tissus de rideaux, son ami Nicolò Zito, Rotondo le marchand de meubles, le Todaro des plantes et jardins, Riguccio l'électricien, Cangelosi qui avait invité Michela à dîner, à nouveau Serravalle. Cipollina, Pinissi et Cacamo, en admettant sans le concéder qu'ils s'appellent ainsi, il ne savait pas qui c'était, mais il était facile de supposer qu'ils avaient téléphoné parce qu'ils étaient des amis ou des connaissances de la victime.

— On peut ? demanda Fazio sur le pas de la porte.

— Entre. Tu m'as amené les informations sur l'ingénieur Di Blasi ?

— Bien sûr. Autrement, est-ce que je serais là ?

Fazio s'attendait évidemment à un éloge pour le peu de temps qu'il avait mis à recueillir ces nouvelles.

— Tu as vu que t'y es arrivé en une heure ? dit au contraire le commissaire.

Fazio s'offusqua.

— Et c'est comme ça que vous me remerciez ?

— Pourquoi, tu veux être remercié quand tu ne fais que ton devoir ?

— Commissaire, si vous le permettez, avec tout le respect ? Ce matin vous êtes vraiment 'ntipathique.

— A propos, pourquoi n'ai-je pas encore eu l'honneur et le plaisir, si l'on peut dire, de voir au bureau le *dottor* Augello ?

— Il est parti à la Cimenterie avec Germanà et Galluzzo.

— Qu'est-ce que c'est que cette histoire ?

— Vous ne savez pas ? Hier, trente-cinq ouvriers de la Cimenterie ont reçu leur avis de licenciement. Ce matin, ils ont commencé à faire du bordel, des cris, des pierres, ce genre de trucs. Le directeur a pris peur et a appelé ici.

— Et pourquoi Mimì Augello y est allé ?

— Mais puisque le directeur l'a appelé au secours !

— Nom de Dieu ! Je l'ai dit et répété cent fois. Je ne veux pas que qui que ce soit du commissariat s'immisce dans ces histoires !

— Mais qu'est-ce qu'il devait faire le pauvre *dottore* Augello ?

— Passer le coup de fil aux carabiniers, que eux, dans ce genre de trucs, ils boivent du petit-lait ! De toute façon, au directeur de la Cimenterie, ils vont lui trouver un autre poste. Ceux qui restent le cul par terre, c'est les ouvriers. Et nous on va leur filer des coups de matraque ?

— *Dottore*, pardonnez-moi encore, mais vous êtes communiste, un vrai de vrai. Un communiste enragé, vous êtes.

— Fazio, tu déconnes en plein avec cette histoire de communisme. Je ne suis pas communiste, tu veux le comprendre oui ou non ?

— D'accord, mais c'est sûr que vous parlez et raisonnez comme un des leurs.

— On laisse tomber la politique ?

— Oh que oui. Donc : Di Blasi Aurelio fils de feu Giacomo et de feu Carlentini Maria Antonietta, né à Vigàta le 3 avril 1937…

— Quand tu parles comme ça tu m'énerves. On dirait un employé de l'état civil.

— Ça ne vous plaît pas, monsieur le *dottore* ? Vous voulez que je vous le chante en musique ? Que je vous le déclame en poésie ?

— Toi ce matin, en fait d'''ntipathie, on dirait que tu plaisantes pas.

Le téléphone sonna.

— Ça va finir qu'on va y passer la nuit, soupira Fazio.

— Allô, *dottori* ? Y a au tiliphone ce M. Càcano qui tiliphona déjà. Je fais quoi ?

— Passe-le-moi.

— Commissaire Montalbano ? Gillo Jàcono à l'appareil, j'ai eu le plaisir de faire votre connaissance chez Mme Vasile Cozzo, je suis un de ses ex-élèves.

Dans le récepteur, en bruit de fond, Montalbano entendit une voix féminine annoncer le dernier appel du vol pour Rome.

— Je me souviens parfaitement, je vous écoute.

— Je suis à l'aéroport, j'ai quelques secondes, vous excuserez la brièveté.

La brièveté, le commissaire était toujours prêt à l'excuser où et quand on voulait.

— Je téléphone au sujet de la femme assassinée.

— Vous la connaissiez ?

— Non. Voilà, mercredi soir, vers les minuit, je suis parti de Montelusa pour Vigàta avec ma voiture. Mais le moteur a commencé à faire des siennes, j'ai dû rouler tout doucement. Au lieu-dit Trois Fontaines, j'ai été doublé par une Twingo foncée qui s'est arrêtée peu après, devant une villa. Un homme et une femme en sont descendus, ils se sont dirigés vers la villa. Je n'ai rien vu d'autre, mais ce que j'ai vu, j'en suis certain.

— Quand rentrez-vous à Vigàta ?

— Jeudi prochain.

— Venez me voir. Merci.

Montalbano s'absenta, dans le sens que son corps était resté assis, mais sa tête était partie ailleurs.

— Qu'est-ce que je fais, je reviens un peu plus tard ? demanda Fazio résigné.

— Non, non. Raconte.

— Donc, où j'en étais resté ? Ah oui. Ingénieur dans le bâtiment, mais ne construit rien en propre. Domicilié à Vigàta, rue Laporta numéro 8, marié à Dalli Cardillo Teresa, femme au foyer, mais femme au foyer aisée. Propriétaire d'un gros bout de terrain agricole à Raffadali, province de Montelusa, avec ferme annexe qu'il a rendue habitable. Il a deux voitures, une Mercedes et une Tempra. Il a deux enfants, un garçon et une fille. La fille s'appelle Manuela, elle a trente ans, elle est mariée en Hollande avec un commerçant. Ils ont deux enfants, Giuliano de trois ans et Domenico d'un an. Ils habitent…

— Là je te casse la gueule, dit Montalbano.

— Pourquoi ? Qu'est-ce que j'ai fait ? demanda Fazio d'un air faussement ingénu. Vous m'aviez pas dit que vous vouliez savoir tout de tout ?

Le téléphone sonna. Fazio se contenta de gémir et de lever les yeux au plafond.

— Commissaire ? Emanuele Licalzi à l'appareil. J'appelle de Rome. L'avion de Bologne est parti avec deux heures de retard et j'ai raté le Rome-Palerme. Je serai là vers trois heures de l'après-midi.

— Ne vous inquiétez pas. Je vous attends.

Il regarda Fazio et Fazio le regarda.

— Tu en as encore pour longtemps avec cette cagade ?

— J'ai presque fini. Le fils, il s'appelle Maurizio.

Montalbano se releva sur sa chaise et dressa l'oreille.

— Il a trente et un ans. Etudiant à l'université.

— Il a trente et un ans ?!

— Exactement. Il paraît qu'il est un peu lent d'esprit. Il habite chez ses parents. Et c'est tout.

— Non, je suis sûr que ce n'est pas tout. Continue.

— Eh bien, il s'agit de bruits…

— N'aie pas de scrupules.

Evidemment, Fazio faisait durer le plaisir ; dans cette partie avec son supérieur, il avait en main les meilleures cartes.

— Donc. L'ingénieur Di Blasi est cousin au second degré du Dr Emanuele Licalzi. Michela

82

Licalzi est devenue une habituée des Di Blasi. Et Maurizio a perdu la tête pour elle. C'était la fable du village : quand Mme Licalzi marchait dans Vigàta, il était derrière elle, la langue pendante.

C'était donc le nom de Maurizio qu'Anna Tropeano n'avait pas voulu lui dire.

— Tous ceux avec qui j'ai parlé, poursuivit Fazio, m'ont dit qu'il est bon comme le bon pain. Bon, et un peu débile.

— Ça va, je te remercie.

— Il y a autre chose, dit Fazio et il était clair qu'il était sur le point de lancer son dernier projectile, le plus gros, comme à la fin d'un feu d'artifice. Il paraît que ce jeune homme a disparu depuis mercredi soir. Vous saisissez.

— Allô, Dr Pasquano ? Montalbano je suis. Vous avez du nouveau pour moi ?

— Un peu. J'allais vous appeler.

— Dites-moi tout.

— La victime n'avait pas dîné. Ou du moins, peu de choses, un sandwich. Elle avait un corps splendide, dehors et dedans. Très saine, un mécanisme parfait. Elle n'avait pas bu, ni ingéré de stupéfiants. La mort a été causée par asphyxie.

— C'est tout ? dit Montalbano déçu.

— Non. Elle a indubitablement eu des rapports sexuels.

— Elle a été violée ?

— Je ne crois pas. Elle a eu un rapport vaginal très fort, comment dire, intense. Mais il n'y a pas trace de liquide séminal. Ensuite elle a eu un rapport anal, lui aussi très fort et sans liquide séminal.

— Comment pouvez-vous dire qu'elle n'a pas été violée ?

— Très simple. Pour préparer la pénétration anale, une crème émolliente a été utilisée, peut-être une crème hydratante que les femmes ont dans leur salle de bains. Avez-vous déjà entendu parler d'un violeur qui se préoccupe de ne pas faire mal à sa victime ? Non, croyez-moi : la femme était consentante. Maintenant je vous laisse, je vous communiquerai, dès que possible, de plus amples détails.

Le commissaire avait une mémoire photographique exceptionnelle. Il ferma les yeux, se prit la tête entre les mains et se concentra. Et peu après, il vit très nettement le pot de crème hydratante, avec le couvercle posé à côté, le dernier à droite sur l'étagère de la salle de bains en désordre de la villa.

Rue Laporta, au numéro 8, le carton de l'interphone indiquait : « Ing. Aurelio Di Blasi » et c'est tout. Il sonna, une voix féminine répondit.

— Qui est-ce ?

Il valait mieux ne pas l'alarmer, ils devaient être sur la brèche dans cette maison.

— L'ingénieur est là ?

— Non. Mais il revient bientôt. Qui est-ce ?

— Je suis un ami de Maurizio. Je peux entrer ?

Pendant un instant, il se sentit un salaud de merde, mais c'était son boulot.

— Dernier étage, dit la voix féminine.

La porte de l'ascenseur lui fut ouverte par une femme d'une soixantaine d'années, dépeignée et bouleversée.

— Vous êtes un ami de Maurizio ? demanda anxieusement la femme.

— Oui et non, répondit Montalbano sentant que la merde lui arrivait au cou.

— Entrez.

Elle le fit entrer dans un grand salon arrangé avec goût et lui indiqua un fauteuil. Elle s'assit sur une chaise, balançant le buste d'avant en arrière, muette et désespérée. Les persiennes étaient closes, une lumière avare filtrait entre les barreaux et cela donnait à Montalbano l'impression d'être allé à une visite de deuil. Il pensa que peut-être le mort y était, mais invisible, et que son nom était Maurizio. Sur la table basse, il y avait, éparpillées, une dizaine de photos qui représentaient toutes le même visage, mais dans la pénombre de la pièce, on n'en distinguait pas les traits. Le commissaire poussa un long soupir, comme lorsqu'on se prépare à aller sous l'eau en apnée, et véritablement il s'apprêtait à plonger dans cet abysse de douleur qu'étaient les pensées de Mme Di Blasi.

— Avez-vous eu des nouvelles de votre fils ?

Il était plus qu'évident que les choses étaient telles que les lui avait rapportées Fazio.

— Non. Tout le monde remue ciel et terre. Mon mari, ses amis… Tous.

Elle se mit à pleurer doucement, les larmes coulaient le long de son visage et tombaient sur sa jupe.

— Avait-il beaucoup d'argent avec lui ?

— Sûrement un demi-million de lires. Et puis il avait sa carte — comment s'appelle-t-elle ? — la Bancomat.

— Je vais vous chercher un verre d'eau, dit Montalbano en se levant.

— Ne vous dérangez pas, j'y vais, dit la dame.

Elle se leva aussi et sortit de la pièce. Montalbano attrapa aussitôt une des photos, il la regarda un moment, un jeune homme au visage chevalin, aux yeux sans expression, et il la mit dans sa poche. On voyait que l'ingénieur Di Blasi les avait fait préparer pour les distribuer. La femme revint mais, au lieu de s'asseoir, elle resta debout dans l'embrasure de la porte. Elle était devenue soupçonneuse.

— Vous êtes bien plus âgé que mon fils. Comment avez-vous dit que vous vous appeliez ?

— En réalité, Maurizio est un ami de mon plus jeune frère, Giuseppe.

Il avait choisi l'un des noms les plus répandus en Sicile. Mais la femme n'y pensait déjà plus. Elle s'assit et reprit son balancement.

— Alors vous n'avez pas eu de ses nouvelles depuis mercredi soir ?

— Rin de rin. La nuit, il n'est pas rentré. Il ne l'avait jamais fait. C'est un garçon simple, calme, si on lui raconte que les poules ont des dents, il le croit. A un certain moment de la matinée, mon mari s'est inquiété, il a commencé à téléphoner. Un de ses amis, Pasquale Corso, l'a vu passer et se diriger vers le bar Italia. Il devait être neuf heures du soir.

— Il avait un portable, un téléphone ?

— Oui. Mais qui êtes-vous ?

— Bien, dit le commissaire en se levant. Je m'en vais.

Il se dirigea rapidement vers la porte d'entrée, l'ouvrit et se retourna.

— Quand Michela Licalzi est-elle venue pour la dernière fois ?

La femme s'empourpra.

— Ne prononcez pas le nom de cette putain ! dit-elle.

Et elle claqua la porte derrière lui.

Le bar Italia était presque à côté du commissariat ; tous, Montalbano compris, étaient des habitués. Le propriétaire était assis à la caisse : c'était un bonhomme dont le regard sinistre contrastait avec une bonté d'âme innée. Il s'appelait Gelsomino Patti.

— Qu'est-ce qu'on vous sert, commissaire ?

— Rien, Gelsomì. J'ai besoin d'une information. Tu le connais toi, Maurizio Di Blasi ?

— On l'a retrouvé ?

— Pas encore.

— Son père, pauvre bougre, il est passé ici au moins une dizaine de fois pour demander si on avait des nouvelles. Mais quelles nouvelles on pourrait bien avoir ? S'il revient, il ira chez lui, il ne va pas venir s'asseoir au bar.

— Ecoute, Pasquale Corso...

— Commissaire, son père me l'a dit aussi à moi que Maurizio est venu ici vers neuf heures du soir. En réalité, il s'est arrêté dans la rue, juste là devant et moi je l'ai très bien vu de la caisse. Il s'apprêtait à entrer et puis il s'est arrêté, il a sorti son téléphone, a fait un numéro et s'est mis à parler. Au bout d'un moment, je l'ai plus vu. Mais ici, mercredi soir, il n'y est pas entré, ça c'est sûr. Quel intérêt j'aurais à raconter une chose pour une autre ?

— Merci, Gelsomì. Au revoir.

— *Dottori* ! Le *dottori* Lacté a tiliphoné de Montilusa.

— Lactes, Catarè, avec un s à la fin.

— *Dottori*, un s de plus ou de moins ça change rien. Il a dit comme ça que vous l'appiliez midiatement. Et puis aussi Guito Serafalle tiliphona. Il me laissa un numérote de Bologne. Je l'écrivis sur ce morceau.

L'heure était venue d'aller manger, mais il avait le temps de téléphoner.

— Allô ? Qui est à l'appareil ?

— Le commissaire Montalbano je suis. J'appelle de Vigàta. Vous êtes monsieur Guido Serravalle ?

— Oui. Commissaire, je vous ai cherché ce matin parce qu'en appelant le Jolly pour parler à Michela, j'ai appris…

Une voix chaude, mûre, de chanteur de charme.

— Vous êtes un parent ?

Ça s'était toujours démontré une bonne tactique de feindre d'ignorer, au cours d'une enquête, les rapports entre les différentes personnes impliquées.

— Non. En réalité, je…

— Un ami ?

— Oui, un ami.

— A quel point ?

— Je n'ai pas compris, excusez-moi.

— A quel point étiez-vous amis ?

88

Guido Serravalle hésita à répondre, Montalbano lui vint en aide.

— Intimes ?

— Eh bien, oui.

— Alors je vous écoute.

Encore une hésitation. Manifestement, les manières du commissaire le déstabilisaient.

— Voilà, je voulais vous dire… me mettre à votre disposition. J'ai à Bologne un magasin d'antiquités que je peux fermer quand je veux. Si vous avez besoin de moi, je prends un avion et je descends. Je voulais… j'étais très lié à Michela.

— Je comprends. Si j'ai besoin de vous, je vous ferai appeler.

Il raccrocha. Il détestait les gens qui téléphonaient inutilement. Que pouvait lui dire Guido Serravalle qu'il ne savait déjà ?

Il partit à pied pour aller manger à la trattoria « San Calogero » où ils avaient toujours un poisson très frais. Tout à coup, il s'arrêta en jurant. Il avait oublié que la trattoria était fermée depuis six jours pour des travaux de modernisation de la cuisine. Il retourna en arrière, prit sa voiture et se dirigea vers Marinella. Juste après le pont, il regarda la maison qu'il savait maintenant être celle d'Anna Tropeano. Ce fut plus fort que lui, il braqua, freina et descendit.

C'était une petite villa à deux étages, très bien entretenue, avec un jardinet tout autour. Il s'approcha du portail et appuya sur le bouton de l'interphone.

— Qui est-ce ?

— Le commissaire Montalbano je suis. Je vous dérange ?

— Non, entrez.

Le portail s'ouvrit et en même temps la porte de la villa. Anna avait changé de vêtements, elle avait repris des couleurs.

— Vous voulez savoir une chose, *dottor* Montalbano ? J'étais certaine que je vous reverrais dans la journée.

7

— Vous étiez en train de déjeuner ?

— Non, je n'en ai pas envie. Et puis, comme ça, toute seule… Presque tous les jours Michela venait manger ici. Il était rare qu'elle déjeune à l'hôtel.

— Je peux vous faire une proposition ?

— En attendant, entrez.

— Vous voulez venir chez moi ? C'est à deux pas, sur la mer.

— Mais peut-être que votre femme si elle n'a pas été prévenue…

— Je vis seul.

Anna Tropeano n'hésita pas une seconde.

— Je vous retrouve à la voiture.

Ils roulèrent en silence, Montalbano encore surpris de l'avoir invitée et Anna tout étonnée d'avoir accepté.

Le samedi était le jour que la femme de ménage Adelina consacrait à un nettoyage méticuleux de l'appartement et le commissaire, en le voyant aussi rutilant, se consola : une fois, toujours un samedi, il avait invité un couple d'amis, mais ce jour-là Adelina n'était pas venue. Résultat, la femme de l'ami, pour mettre la table, avait d'abord dû la débarrasser d'une montagne de chaussettes sales et de slips à laver.

Comme si elle connaissait la maison depuis longtemps, Anna s'était dirigée vers la véranda, elle s'était assise sur le banc pour regarder la mer à quelques pas. Montalbano mit devant elle la table pliante et un cendrier. Il se rendit en cuisine. Dans le four, Adelina lui avait laissé une grosse part de merlan, dans le Frigidaire, la petite sauce d'anchois au vinaigre pour l'assaisonner était déjà prête.

Il retourna dans la véranda. Anna fumait et semblait toujours plus paisible à chaque minute qui passait.

— Comme c'est beau ici.

— Dites, vous voudriez un peu de merlan au four ?

— Commissaire, ne vous vexez pas, mais j'ai l'estomac noué. Faisons comme ça, pendant que vous mangez, moi je me bois un verre de vin.

En une demi-heure, le commissaire s'était bâfré la triple portion de merlan, et Anna s'était sifflé deux verres de vin.

— Il est vraiment bon, dit Anna en remplissant à nouveau son verre.

— Il est fait... il était fait par mon père. Vous voulez un café ?

— Je ne résiste pas au café.

Le commissaire ouvrit une boîte de Yaucono,

prépara la cafetière et la mit sur le gaz. Il revint dans la véranda.

— Enlevez-moi cette bouteille de devant. Autrement, je la descends toute, dit Anna.

Montalbano obéit. Le café était prêt, il le servit. Anna le but en le dégustant, à petites gorgées.

— Il est fort et délicieux. Où l'achetez-vous ?

— Je ne l'achète pas. Un ami m'envoie des boîtes de Porto Rico.

Anna éloigna sa tasse et alluma sa vingtième cigarette.

— Qu'avez-vous à me dire ?

— Il y a du nouveau.

— Quoi ?

— Maurizio Di Blasi.

— Vous voyez ? Je ne vous ai pas dit son nom ce matin parce que j'étais convaincue que vous le découvririez facilement, tout le monde en riait au village.

— Il avait perdu la tête ?

— Plus que ça. Pour lui, Michela était devenue une obsession. Je ne sais pas si on vous a dit que Maurizio n'était pas un garçon normal. Il était à la limite entre la normalité et le trouble mental. Ecoutez, il y a deux épisodes qui…

— Racontez-les-moi.

— Une fois, Michela et moi étions allées manger au restaurant. Peu après, Maurizio est arrivé, il nous a saluées et s'est assis à la table à côté. Il a très peu mangé, les yeux sans cesse rivés sur Michela. Et tout d'un coup, il s'est mis à baver, j'en ai eu un haut-le-cœur. Il bavait, croyez-moi, un filet de salive lui coulait du coin de la bouche. Nous avons dû partir.

— Et l'autre épisode ?

— Je m'étais rendue à la villa pour aider Michela. En fin de journée, elle est allée prendre une douche et ensuite elle est descendue dans le salon toute nue. Il faisait très chaud. Elle aimait circuler dans la maison sans rien dessus. Elle était assise sur un fauteuil et nous nous sommes mises à parler. A un certain moment, j'ai entendu comme un gémissement qui venait de dehors. Je me suis tournée pour regarder. Maurizio était là, le visage presque collé à la vitre. Avant que j'aie pu dire un mot, il a reculé de quelques pas, courbé en deux. Et c'est là que j'ai compris qu'il était en train de se masturber.

Elle fit une pause, regarda la mer et soupira.

— Pauvre enfant, dit-elle à mi-voix.

Montalbano, un instant, fut ému. Le vaste bassin de Vénus. Cette extraordinaire capacité toute féminine de comprendre en profondeur, de pénétrer les sentiments, de réussir à être à la fois mère et amante, fille et épouse. Il posa sa main sur celle d'Anna, elle ne la retira pas.

— Vous savez qu'il a disparu ?

— Oui, je sais. Le même soir que Michela. Mais…

— Mais ?

— Commissaire, je peux vous parler sincèrement ?

— Pourquoi, qu'avons-nous fait jusqu'à présent ? Et faites-moi une faveur, appelez-moi Salvo.

— Si vous m'appelez Anna.

— D'accord.

— Mais vous vous trompez si vous pensez que Maurizio a pu assassiner Michela.

— Donnez-moi une bonne raison.

— Il ne s'agit pas de raison. Vous voyez, avec vous les policiers, les gens ne parlent pas volontiers. Mais si vous, Salvo, vous faites faire une enquête, un sondage d'opinion comme on dit, tout Vigàta vous dira que Maurizio n'est pas un assassin.

— Anna, il y a une autre nouvelle dont je ne vous ai pas encore parlé.

Anna ferma les yeux. Elle avait deviné que ce que le commissaire allait dire était difficile à dire et à entendre.

— Je suis prête.

— Le Dr Pasquano, le médecin légiste, est arrivé à certaines conclusions que je vais vous donner.

Il les lui donna, sans la regarder en face, les yeux fixés sur la mer. Il ne lui épargna aucun détail.

Anna l'écouta, le visage entre les mains, les coudes posés sur la table. Lorsque le commissaire eut fini, elle se leva, très pâle.

— Je vais aux toilettes.

— Je vous accompagne.

— Je trouverai toute seule.

Peu après, Montalbano l'entendit vomir. Il regarda sa montre, il disposait encore d'une heure avant l'arrivée d'Emanuele Licalzi. Et de toute façon, le rajusteur d'os de Bologne pouvait très bien attendre.

Elle revint, elle avait l'air résolu. Elle se rassit à côté de Montalbano.

— Salvo, que signifie pour ce docteur le mot consentant ?

— La même chose que pour toi ou moi, être d'accord.

— Mais dans certains cas, on peut sembler consentant juste parce qu'on n'a pas la possibilité d'opposer une résistance.

— Juste.

— Alors je te pose la question : ce que l'assassin a fait à Michela ne peut pas s'être produit sans sa volonté à elle ?

— Mais il y a certains détails qui…

— Laisse tomber. D'abord on ne sait même pas si l'assassin a abusé d'une femme vivante ou d'un cadavre. Et de toute façon il a eu tout le temps qu'il voulait pour arranger les choses de façon à ce que la police y perde son latin.

Ils étaient passés au tutoiement sans même s'en rendre compte.

— Tu as une idée que tu ne dis pas.

— Ce n'est pas difficile, dit Montalbano. A l'heure qu'il est, tout est contre Maurizio. La dernière fois qu'il a été vu, il se trouvait à neuf heures du soir devant le bar Italia. Il était en train de téléphoner.

— A moi, dit Anna.

Le commissaire fit littéralement un bond sur le banc.

— Que voulait-il ?

— Il voulait savoir où était Michela. Je lui ai dit que nous nous étions quittées un peu après sept heures, qu'elle devait passer au Jolly et qu'ensuite elle allait dîner chez les Vassallo.

— Et lui ?

— Il a raccroché sans même me dire au revoir.

— Ce qui peut être un point en sa défaveur. Il a certainement téléphoné aussi aux Vassallo. Il ne la trouve pas, mais il devine où Michela peut être et il la rejoint.

— A la villa.

— Non. Ils sont arrivés à la villa un peu après minuit.

Ce fut au tour d'Anna de sursauter.

— C'est un témoin qui me l'a dit, poursuivit Montalbano.

— Il a reconnu Maurizio ?

— Il faisait noir. Il a juste vu un homme et une femme descendre de la Twingo et se diriger vers la villa. Une fois à l'intérieur, Maurizio et Michela font l'amour. A un certain moment, Maurizio, que tout le monde me décrit comme une espèce de débile mental, a un coup de folie.

— Jamais au grand jamais Michela…

— Comment réagissait ton amie à la persécution de Maurizio ?

— Ça l'ennuyait, parfois elle éprouvait pour lui une peine profonde qui…

Elle s'interrompit, elle avait compris ce que voulait dire Montalbano. Son visage perdit aussitôt de sa fraîcheur, des rides apparurent de chaque côté de sa bouche.

— Mais il y a des choses qui ne collent pas, poursuivit Montalbano qui souffrait de la voir souffrir. Par exemple : Maurizio aurait-il été capable, tout de suite après l'homicide, d'organiser froidement la mise en scène des vêtements et du vol du sac ?

— Mais tu penses !

— Le vrai problème, ce ne sont pas les modalités de l'homicide, mais de savoir où Michela a été et ce qu'elle a fait depuis le moment où tu l'as quittée jusqu'à celui où le témoin l'a vue. Presque cinq heures, ce n'est pas rien. Et maintenant allons-y parce que le Dr Emanuele Licalzi va arriver.

Tandis qu'ils montaient en voiture, Montalbano lança son encre comme le ferait une seiche.

— Je ne suis pas si sûr de l'unanimité des réponses à ton sondage sur l'innocence de Maurizio. Il y en a au moins un qui doit avoir de sérieux doutes.

— Qui donc ?

— Son père, l'ingénieur Di Blasi. Autrement il nous aurait mobilisés pour chercher son fils.

— C'est normal que tu envisages tout. Ah, une chose m'est venue à l'esprit. Lorsque Maurizio m'a téléphoné au sujet de Michela, je lui ai dit de l'appeler directement sur son portable. Il m'a répondu qu'il avait essayé, mais que l'appareil était éteint.

Sur la porte du commissariat, il se cogna presque à Galluzzo qui sortait.

— Vous êtes revenus de votre entreprise héroïque ?

Fazio devait lui avoir raconté la colère de la matinée.

— Oh que oui, répondit-il gêné.

— Le *dottor* Augello est dans son bureau ?

— Oh que non.

Son embarras devint encore plus évident.

— Et où est-il ? Il distribue des coups de nerfs de bœuf à d'autres chômeurs ?

— A l'hôpital, il est.

— Qu'est-ce qui fut ? Qu'est-ce qui arriva ? demanda Montalbano inquiet.

— Un jet de pierre à la tête. On lui a fait trois points. Mais ils ont voulu le garder en observation. Ils m'ont dit de revenir vers huit heures du soir. Si tout va bien, je le ramènerai chez lui.

La bordée de jurons du commissaire fut interrompue par Catarella.

— Ah *dottori dottori* ! En primièrement il a tiliphoné deux fois, le *dottori* Lacté avec le s à la fin. Il dit comme ça que vous vous devez l'appeler pirsonnellement tout de suite. Ensuite il y a d'autres coups de tiliphone que j'ai marqués là-dessus ce morceau.

— Torche-toi le cul avec.

Le Dr Emanucle Licalzi, la soixantaine, était un homme menu, avec des lunettes dorées, habillé tout en gris. Il semblait tout juste sorti du pressing, du barbier, de la manucure : impeccable.

— Comment êtes-vous venu jusqu'ici ?

— De l'aéroport, vous voulez dire ? J'ai loué une voiture, j'ai mis presque trois heures.

— Vous êtes déjà passé à l'hôtel ?

— Non. Ma valise est dans l'auto. J'irai après.

Comment faisait-il pour ne pas avoir un pli ?

— Nous allons à la villa ? On parlera pendant le trajet comme ça vous gagnerez du temps.

— Comme vous voulez, commissaire.

Ils prirent la voiture louée par le chirurgien.

— C'est son amant qui l'a tuée ?

Il n'usait pas de circonlocutions, Emanuele Licalzi.

— Nous ne pouvons pas encore le dire. Il est certain qu'elle a eu plusieurs rapports sexuels.

Le médecin ne releva pas, il continua de conduire, calme et serein, comme si la morte n'avait pas été sa femme.

— Qu'est-ce qui vous fait penser qu'elle avait un amant ici ?

— Parce qu'elle en avait un à Bologne.

— Ah.

— Oui, Michela m'a dit son nom, Serravalle il me semble, un antiquaire.

— Plutôt inhabituel.

— Elle me disait tout, commissaire. Elle avait une grande confiance en moi.

— Et vous aussi vous disiez tout à votre femme ?

— Bien sûr.

— Un couple exemplaire, commenta ironiquement le commissaire.

Montalbano parfois se sentait irrémédiablement dépassé par les nouvelles façons de vivre. C'était un traditionaliste, le couple ouvert signifiait pour lui un mari et une femme qui se cocufiaient réciproquement et avaient éventuellement le culot de se raconter ce qu'ils faisaient sur et sous les draps.

— Pas exemplaire, corrigea imperturbable le Dr Licalzi, mais de convenance.

— Pour Michela ? Pour vous ?

— Pour les deux.

— Vous pourriez vous expliquer un peu mieux ?

— Certainement.

Et il tourna à droite.

— Où allez-vous ? dit le commissaire. D'ici on ne peut pas arriver aux Trois Fontaines.

— Excusez-moi, dit le docteur en se lançant dans une manœuvre compliquée pour retourner en arrière. Mais ça fait deux ans et demi que je ne viens pas par ici, depuis que je me suis marié. Michela s'est occupée de la construction, je ne l'ai vue qu'en photo. A propos de photos, j'en ai mis quelques-unes de Michela dans ma valise, elles pourront peut-être vous être utiles.

— Vous savez quoi ? La femme assassinée pourrait peut-être ne pas être votre femme.

— Vous plaisantez ?

— Non. Personne ne l'a officiellement identifiée et aucun de ceux qui l'ont vue morte ne la connaissait avant. Quand nous aurons fini ici, je parlerai avec le médecin légiste pour l'identification. Jusqu'à quand pensez-vous rester ici ?

— Deux, trois jours maximum. Michela, je la ramène à Bologne.

— Docteur, je vais vous poser une question et ensuite je ne reviendrai plus sur le sujet. Mercredi soir, où étiez-vous et que faisiez-vous ?

— Mercredi ? J'ai opéré jusque tard dans la nuit à l'hôpital.

— Vous me parliez de votre mariage.

— Ah oui. J'ai connu Michela il y a trois ans. Elle avait accompagné à l'hôpital son frère qui vit maintenant à New York, pour une fracture assez compliquée au pied droit. Elle m'a tout de suite plu, elle était très belle, mais j'ai surtout été frappé par son caractère. Elle était toujours prête à voir le bon côté des choses. Elle avait perdu ses parents quand elle n'avait pas encore quinze ans, elle avait été élevée par un oncle qui un jour, histoire de faire bonne mesure, l'avait violée. Bref, elle cherchait désespérément sa place. Pendant des années, elle avait été la maîtresse d'un industriel, qui l'avait ensuite licenciée avec une certaine somme qui lui avait servi à vivre. Michela aurait pu avoir tous les hommes qu'elle voulait, mais en fait, ça l'humiliait d'être entretenue.

— Vous lui aviez demandé d'être votre maîtresse et Michela avait refusé ?

Pour la première fois, sur le visage impassible d'Emanuele Licalzi, une espèce de sourire se dessina.

— Vous faites totalement fausse route, commissaire. Ah dites, Michela m'avait dit qu'elle avait acheté ici, pour ses déplacements, une Twingo vert bouteille. Qu'est-ce qu'elle est devenue ?

— Elle a eu un accident.

— Michela ne savait pas conduire.

— Votre épouse n'y est pour rien, en l'occurrence. L'auto a été emboutie alors qu'elle était en stationnement régulier devant le chemin d'accès à la villa.

— Et comment le savez-vous ?

— C'est nous de la police qui l'avons fait. Mais nous ignorions encore…

— Quelle curieuse histoire.

— Je vous la raconterai une autre fois. C'est justement cet accident qui a permis de découvrir le cadavre.

— Vous croyez que je pourrai la ravoir ?

— Je pense que rien ne s'y oppose.

— Je peux la céder à quelqu'un de Vigàta qui vend des voitures d'occasion, qu'en pensez-vous ?

Montalbano ne répondit rien, il n'en avait rien à foutre du sort de la voiture vert bouteille.

— La villa est celle de gauche, non ? Il me semble la reconnaître d'après la photo.

— C'est elle.

Le Dr Licalzi exécuta une manœuvre élégante, s'arrêta devant le chemin et descendit. Il se mit à observer la construction avec la curiosité détachée d'un touriste de passage.

— Mignonne. Que sommes-nous venus faire ?

— Je ne le sais pas moi-même, dit Montalbano de mauvaise humeur.

Le Dr Licalzi avait le don de lui taper sur les nerfs. Il décida de lui assener un bon coup.

— Vous savez ? Certains pensent que celui qui a tué votre femme après l'avoir violée, c'est Maurizio Di Blasi, le fils de votre cousin l'ingénieur.

— Vraiment ? Je ne le connais pas, quand je suis venu il y a deux ans et demi, il était étudiant à Palerme. On m'a dit que c'était un pauvre débile.

Montalbano était servi.

— On entre ?

— Attendez, je ne voudrais pas oublier.

Il ouvrit le coffre de la voiture, prit la très élégante valise qui se trouvait à l'intérieur et en tira une grande enveloppe.

— Les photos de Michela.

Montalbano les empocha. Simultanément, le médecin sortit de sa poche un trousseau de clés.

— Ce sont celles de la villa ? demanda Montalbano.

— Oui. Je savais où Michela les rangeait à la maison. Ce sont les doubles de réserve.

Maintenant je me le prends à coups de pied dans le cul, pensa le commissaire.

— Vous n'avez pas fini de me dire pourquoi votre mariage convenait autant à vous qu'à votre femme.

— Eh bien, à Michela, il lui convenait parce qu'elle épousait un homme riche même s'il avait trente ans de plus qu'elle, à moi, il me convenait pour faire taire des bruits qui auraient pu me nuire au moment où je m'apprêtais à un grand bond dans ma carrière. On commençait à prétendre que j'étais devenu homosexuel, étant donné que depuis une dizaine d'années, on ne me voyait plus sortir avec une femme.

— Et c'était vrai que vous ne voyiez plus de femmes ?

— Qu'est-ce que j'en aurais fait, commissaire ? A cinquante ans je suis devenu impuissant. Irréversiblement.

8

— Mignon, dit le Dr Licalzi après un coup d'œil circulaire au salon.

Il ne savait rien dire d'autre ?

— Ici, il y a la cuisine, dit le commissaire et il ajouta : prête à l'usage.

D'un coup, il fut pris d'une grande fureur contre lui-même. Pourquoi ce « prête à l'usage » lui avait-il échappé ? Il se sentit dans la peau d'un agent immobilier en train de montrer l'appartement à un client probable.

— A côté, il y a la salle de bains. Allez la voir vous-même, dit-il grossièrement.

Le chirurgien ne remarqua pas l'intonation ou feignit de ne pas l'avoir notée, ouvrit la porte de la salle de bains, y passa la tête, la referma.

— Mignon.

Montalbano sentit ses mains trembler. Il vit distinctement le titre du journal : « UN COMMISSAIRE DE POLICE PRIS DE FOLIE SOUDAINE AGRESSE LE MARI DE LA VICTIME. »

— A l'étage, il y a une petite chambre d'amis, une grande salle de bains et une chambre. Montez-y.

Le médecin obéit. Montalbano resta au salon, s'alluma une cigarette, tira de sa poche l'enveloppe avec la photo de Michela. Splendide. Le visage, qu'il n'avait vu que déformé par la douleur et l'horreur, avait ici une expression rieuse, ouverte.

Il termina sa cigarette et se rendit compte que le chirurgien n'était pas encore descendu.

— Dr Licalzi ?

Pas de réponse. Rapidement, il monta à l'étage. Le médecin était debout dans un coin de la chambre à coucher, le visage dans les mains, les épaules secouées de sanglots.

Le commissaire en fut ébahi, il pouvait tout supposer, sauf cette réaction. Il s'approcha, lui posa une main dans le dos.

— Ayez du courage.

Dans un mouvement presque infantile, le médecin dégagea son épaule pour continuer à pleurer, le visage enfoui dans les mains.

— Pauvre Michela ! Pauvre Michela !

C'était pas de la comédie, les larmes, la voix douloureuse étaient vraies.

Montalbano le prit fermement par un bras.

— Descendons.

Le chirurgien se laissa guider, il bougea en évitant de regarder le lit, le drap en lambeaux et taché de sang. Il était médecin et avait compris ce qu'avait dû éprouver Michela dans les derniers instants de sa vie. Mais si Licalzi était médecin, Montalbano était flic et tout de suite, en le voyant en larmes, il avait compris que ce type n'avait plus pu maintenir le masque d'indifférence qu'il s'était fabriqué ; l'armure de détachement qu'il revêtait d'ordinaire, peut-être pour compenser le malheur de l'impuissance, était tombée en morceaux.

— Pardonnez-moi, dit Licalzi en s'asseyant dans un fauteuil. Je n'imaginais pas… C'est terrible, de mourir ainsi. L'assassin lui a tenu le visage contre le matelas, n'est-ce pas ?

— Oui.

— Moi, Michela, je l'aimais beaucoup, de toute façon. Vous savez quoi ? Elle était devenue comme une fille, pour moi.

Les larmes recommencèrent à couler, il se les essuya maladroitement avec un mouchoir.

— Pourquoi, demanda Montalbano, a-t-elle voulu se faire construire cette villa ici, justement ici ?

— Depuis toujours, sans la connaître, elle mythifiait la Sicile. Quand elle est venue la visiter, elle est tombée sous le charme. Je crois qu'elle voulait s'y créer un refuge à elle. Vous voyez cette petite vitrine ? Là, il y a ses choses, des babioles qu'elle s'était ramenées de Bologne. Et cela est très significatif de ses intentions, vous ne trouvez pas ?

— Vous voulez vérifier qu'il ne manque rien ?

Le chirurgien se leva, s'approcha de la petite vitrine.

— Je peux ouvrir ?

— Bien sûr.

Licalzi regarda longuement, puis leva une main, prit le vieil étui à violon, l'ouvrit, montra au commissaire l'instrument qui s'y trouvait, le referma, le remit en place, ferma la vitrine.

— A vue de nez, il me semble qu'il ne manque rien.

— Votre femme jouait du violon ?

— Non. Ni du violon ni d'aucun instrument. Il appartenait à son grand-père paternel, un natif de Crémone, il faisait le luthier. Et maintenant, commissaire, si vous croyez pouvoir, racontez-moi tout.

Montalbano lui conta tout, depuis l'incident de jeudi matin jusqu'à ce que lui avait rapporté le Dr Pasquano.

A la fin, Emanuele Licalzi garda un moment le silence puis ne prononça que deux mots :

— Fingerprinting génétique.

— Je ne parle pas anglais.

— Excusez-moi. Je pensais à la disparition des vêtements et des chaussures.

— Peut-être une fausse piste pour nous égarer.

— Peut-être. Mais il se peut aussi que l'assassin ait été obligé de les faire disparaître.

— Parce qu'il les avait tachés ? demanda Montalbano en pinsant à la thèse de Mme Clementina.

— Le médecin légiste a dit qu'il n'y avait pas trace de liquide séminal, n'est-ce pas ?

— Oui.

— Et cela renforce mon hypothèse : l'assassin n'a pas voulu laisser la plus petite trace d'échantillon biologique à travers lequel il soit possible d'opérer le, comme on dit, fingerprinting génétique, l'examen de l'ADN. Les empreintes digitales, on peut les effacer, mais comment faire avec le sperme, les cheveux, les poils ? L'assassin a tenté une opération d'assainissement.

— Eh oui, dit le commissaire.

— Excusez-moi, mais si vous n'avez rien d'autre à me dire, je voudrais m'en aller d'ici. Je commence à sentir la fatigue.

Le médecin ferma la porte à clé, Montalbano remit en place les scellés. Ils partirent.

— Vous avez un portable ?

Le médecin le lui passa. Le commissaire appela Pasquano, se mit d'accord pour l'identification à dix heures du matin le lendemain.

— Vous viendrez vous aussi ?

— Je devrais, mais je ne peux pas, j'ai à faire ailleurs qu'à Vigàta. Je vous enverrai un de mes hommes, il se chargera de vous accompagner.

Il se fit laisser aux premières maisons du bourg, il ressentait le besoin de se dégourdir les jambes.

— Ah, *dottori, dottori* ! Le *dottor* Lacté avec le s à la fin a tiliphoné trois fois, il en avait plein les couilles, sauf votre respect, de plus en plus plein. Vous devez l'appeler pirsonnellement en pirsonne tout du suite.

— Allô, *dottor* Lactes ? Montalbano, je suis.

— Loué soit le Seigneur ! Venez immédiatement à Montelusa, le Questeur veut vous parler.

Il raccrocha. Ça devait être quelque chose de sérieux, parce qu'il n'y avait plus rien de crémeux dans le ton de Lactes.

Il mettait le contact quand il vit arriver l'auto de service conduite par Galluzzo.

— Tu as des nouvelles du *dottor* Augello ?

— Oui, ils ont téléphoné de l'hôpital qu'ils le

faisaient sortir. Je suis allé le chercher et je l'ai ramené chez lui.

Au diable le Questeur et ses urgences. D'abord, il passa chez Mimì.

— Comment ça va, intrépide défenseur du capital ?

— J'ai un mal de tête que j'ai l'impression qu'elle va éclater.

— Ça t'apprendra.

Mimì Augello était assis dans un fauteuil, pâle, la tête bandée.

— Une fois, dit le commissaire, on m'a donné un coup sur la tête avec une barre, on a dû me mettre sept points et ça m'a pas démoli comme tu l'es.

— Visiblement, le coup de barre, on te l'a filé pour une cause que tu estimais juste. Et comme ça, tu t'es senti bastonné et gratifié.

— Mimì, quand tu t'y mets, tu sais vraiment être con.

— Toi aussi, Salvo. Je t'aurais téléphoné ce soir pour te dire que je me sentais pas en état de conduire, demain.

— On ira un autre jour, chez ta sœur.

— Non, Salvo, vas-y quand même. Elle a beaucoup insisté pour te voir.

— Mais tu sais pourquoi ?

— Je n'en ai pas la moindre idée.

— Ecoute, faisons comme ça. Moi, j'y vais, mais toi demain matin, à neuf heures et demie, tu dois être à Montelusa, au Jolly. Tu prends le Dr Licalzi, qui est arrivé, et tu l'accompagnes à la morgue. D'accord ?

110

— Comment va ? Comment va, très cher ? Je vous vois un peu abattu. Courage. Sursum corda ! disions-nous au temps de l'Action catholique.

La crème dangereuse du *dottor* Lactes débordait. Montalbano commença à s'inquiéter.

— Je préviens tout de suite M. le Questeur.

Il disparut, reparut.

— M. le Questeur est momentanément occupé. Venez, je vous accompagne à la salle d'attente. Vous voulez un café, une boisson ?

— Non merci.

Le *dottor* Lactes s'éclipsa après lui avoir adressé un large sourire paternel. Montalbano eut la certitude que le Questeur l'avait condamné à une mort lente et douloureuse. Le garrot, peut-être.

Sur la table basse de la sinistre salle d'attente, il y avait un hebdomadaire, *Famiglia cristiana*, et un quotidien, *L'Osservatore romano*, signes évidents de la présence en Questure du *dottor* Lactes. Il prit en main la revue, commença à lire un article de Suzana Tamaro.

— Commissaire ! Commissaire !

Une main le secouait par une épaule. Il ouvrit les yeux, vit un agent.

— Monsieur le Questeur vous attend.

Seigneur ! Il s'était profondément endormi. Il regarda la montre, huit heures, ce cornard lui avait infligé deux heures d'antichambre.

— Bonsoir, monsieur le Questeur.

Le noble Luca Bonetti-Alderighi ne répondit pas, il dit ni oui ni merde, il continua à fixer l'écran de l'ordinateur. Le commissaire contempla l'inquiétante chevelure de son supérieur, très abondante et avec une grosse mèche sur le dessus, tordue comme certains étrons abandonnés en pleine campagne. La reproduction parfaite de la chevelure de ce psychopathe criminel qui avait provoqué tous ces massacres en Bosnie.

— Comment il s'appelait ?

Trop tard, il se rendit compte qu'encore un peu abruti de sommeil, il avait parlé à haute voix.

— Comment s'appelait qui ? demanda le Questeur en levant enfin les yeux pour le fixer.

— Ne faites pas attention, dit Montalbano.

Le Questeur continua de le toiser avec un mélange de mépris et de commisération, à l'évidence, il découvrait chez le commissaire les symptômes sans équivoque de la démence sénile.

— Je vais vous parler avec la plus grande sincérité, Montalbano. Je ne vous tiens pas en haute estime.

— J'en ai autant à votre service, rétorqua tout de go le commissaire.

— Bien. Comme cela, la situation entre nous est claire. Je vous ai appelé pour vous dire que je vous retire l'enquête sur l'assassinat de Mme Licalzi. Je l'ai confiée au *dottor* Panzacchi, le chef de la Brigade criminelle, auquel, entre autres, l'enquête reviendrait de droit.

Ernesto Panzacchi était un fidèle parmi les fidèles de Bonetti-Alderighi qui l'avait emmené avec lui à Montelusa.

— Puis-je vous demander pourquoi, même si je m'en tape éperdument ?

— Vous avez commis une extravagance qui a mis en grave difficulté le travail du *dottor* Arquà.

— Il l'a écrit dans le rapport ?

— Non, il ne l'a pas écrit dans le rapport, il n'a pas voulu, généreusement, vous faire du tort. Mais ensuite, il s'est repenti et il m'a tout avoué.

— Ah, ces repentis ! s'exclama le commissaire.

— Vous avez quelque chose contre les repentis ?

— Laissons tomber.

Il s'en alla sans saluer.

— Je prendrai des mesures ! lui cria dans son dos Bonetti-Alderighi.

La police scientifique était installée dans les souterrains de l'immeuble.

— Le *dottor* Arquà est là ?

— Il est dans son bureau.

Il entra sans frapper.

— Bonsoir, Arquà. Je vais chez le Questeur qui veut me voir. J'ai pensé passer chez vous pour savoir s'il y avait du neuf.

Vanni Arquà était à l'évidence mal à l'aise. Mais comme Montalbano lui avait dit qu'il devait encore passer chez le Questeur, il décida de répondre comme s'il ignorait que le commissaire n'était plus le titulaire de l'enquête.

— L'assassin a soigneusement tout nettoyé. Nous avons trouvé quand même beaucoup d'empreintes, mais évidemment, elles n'ont rien à faire avec l'homicide.

— Pourquoi ?

— Parce qu'elles étaient toutes à vous, commissaire. Vous continuez à vous conduire de manière très, très étourdie.

— Ah, écoutez, Arquà. Vous savez que la délation est un péché ? Informez-vous auprès du Dr Lactes. Il faudra de nouveau vous repentir.

— Ah, *dottori* ! Nouvellement de nouveau, M. Cacano a téléphoné ! Il dit comme ça qu'il s'en souvient d'une chose que peut-être peut-être, elle est importante. J'ai écrit le numérote sur ce morceau.

Montalbano fixa le carré de papier et commença à éprouver une démangeaison sur tout le corps. Catarella avait écrit les numéros de telle manière que le trois pouvait être un cinq ou un neuf, et le deux, un quatre, le cinq un six, etc.

— Catarè, mais c'est quoi, ce numéro ?

— Celui-là, *dottori*. Le numérote de Cacano. Ça qui est écrit est écrit.

Avant de trouver Gillo Jàcono, il parla avec un bar, avec la famille Jacopetti, avec le Dr Balzani.

La quatrième tentative, il la fit, découragé.

— Allô ? Qui est à l'appareil ? Le commissaire Montalbano, je suis.

— Ah, commissaire, vous avez bien fait de m'appeler, j'allais sortir.

— Vous m'avez cherché ?

— Il m'est revenu à l'esprit un détail, je ne sais pas s'il est utile ou pas. L'homme que j'ai vu descendre de la Twingo et aller vers la villa avec une femme, il avait une valise.

— Vous en êtes sûr ?

— Tout à fait sûr.

— Un attaché-case ?

— Non, commissaire, elle était plutôt grosse. Mais…

— Oui ?

— Mais j'ai eu l'impression que l'homme la portait sans mal, comme si elle n'était pas très pleine.

— Je vous remercie, monsieur Jàcono. Manifestez-vous quand vous rentrez.

Il chercha dans l'annuaire le numéro de Vassallo, le composa.

— Commissaire ! Cet après-midi, comme nous en étions convenus je suis venu vous chercher au bureau mais vous n'y étiez pas. J'ai attendu un moment puis j'ai dû m'en aller.

— Je vous prie de m'excuser. Ecoutez, monsieur Vassallo, dans la soirée de mercredi dernier, quand vous attendiez que Mme Licalzi vienne dîner, qui a téléphoné ?

— Ben, un ami à moi, de Venise, et notre fille qui vit à Catagne, ça, ça ne vous concerne pas. En revanche, et c'est ça que je voulais vous dire, cet après-midi, à deux reprises, Maurizio Di Blasi a appelé. Peu après vingt et une heures et peu après vingt-deux heures. Il cherchait Michela.

Le déplaisir de la rencontre avec le Questeur devait indubitablement être effacé par une grande bouffe. La trattoria San Calogero était fermée, mais il se souvint qu'un ami lui avait dit que juste à l'entrée de Joppolo Gianxo, un petit village à une vingtaine de kilomètres de Vigàta, vers l'intérieur des terres, il y avait une auberge qui valait le coup. Il prit la voiture, réussit tout de suite à la trouver, elle s'appelait « La Chasseresse ». Naturellement, ils n'avaient pas de gibier. Le propriétaire-caissier-serveur, moustaches en guidons de vélo et vague ressemblance avec le Roi galant homme[1], lui posa pour commencer une portion de *caponata*[2] d'un goût exquis. « Un prince si gai conduit bien », avait écrit Boiardo[3] et Montalbano décida de se laisser conduire.

— Qu'est-ce que vous commandez ?

— Portez-moi ce que vous voulez.

Le Roi galant homme sourit, appréciant la marque de confiance.

Pour premier plat[4], il lui servit une grande assiette de macaronis avec une sauce appelée « feu vif » (sel, huile d'olive, ail, piment rouge sec en quantité), sur laquelle le commissaire dut descendre une demi-bouteille de vin. Comme deuxième plat, une substantielle portion d'agneau chasseur agréablement parfumé d'origan et d'oignon. Il conclut par un dessert de ricotta et un petit verre d'anis gras comme viatique et encouragement à la digestion. Il paya l'addition, une misère, échangea une poignée de main et un sourire avec le Roi galant homme :

— Pardonnez-moi, qui est le cuisinier ?

— Mon épouse.

1. Victor-Emmanuel II. *(N.d.T.)*

2. Ratatouille sicilienne, généralement sans courgettes, mais avec des câpres et du céleri, déglacée au vinaigre. *(N.d.T.)*

3. Poète italien (1441-1494). *(N.d.T.)*

4. Aux quelques malheureux qui ignorent encore la cuisine italienne, rappelons qu'un repas complet (aujourd'hui peu fréquent) se compose, après les hors-d'œuvre, de *primi*, les premiers plats (pâtes ou riz ou polenta…) et de *secondi* (viande, poisson), les *contorni* (légumes) étant servis à part. *(N.d.T.)*

— Transmettez-lui mes compliments.

— Je lui transmettrai.

Au retour, au lieu de se diriger vers Montelusa, il prit la route pour Fiacca, de sorte qu'il arriva à Marinella du côté opposé à celui qu'habituellement il parcourait en venant de Vigàta. Il lui fallut une demi-heure de plus mais en compensation, il évita de passer devant la maison d'Anna Tropeano. Il avait la certitude qu'il s'y serait arrêté, pas moyen de faire autrement, et qu'il aurait eu l'air ridicule devant la jeune femme. Il appela Mimì Augello.

— Comment tu te sens ?

— A jeter à la poubelle.

— Ecoute, contrairement à ce que je t'ai dit, demain matin, reste à la maison. Comme cette histoire n'est plus de notre compétence, envoies-y Fazio, à accompagner le Dr Licalzi.

— Qu'est-ce que ça veut dire que c'est plus de notre compétence ?

— Le Questeur m'a retiré l'enquête. Il l'a passée au chef de la Criminelle.

— Et pourquoi ?

— Parce que deux et deux font pas trois. Je dois dire quelque chose à ta sœur ?

— Ne lui raconte pas qu'ils m'ont cassé la tête, je t'en prie ! Autrement, elle va me voir déjà sur mon lit de mort.

— Porte-toi bien, Mimì.

— Allô, Fazio, Montalbano, je suis.

— Qu'est-ce qu'y a, *dottore* ?

Il lui dit de renvoyer tous les coups de fil concernant l'affaire à la Criminelle de Montelusa, lui expliqua aussi ce qu'il devait faire avec Licalzi.

— Allô, Livia ? Salvo, je suis. Comment tu vas ?

— Pas mal.

— Ecoute, on peut savoir pourquoi tu me parles sur ce ton ? L'autre nuit, tu m'as raccroché au nez sans me laisser le temps de parler.

— Et toi, tu m'appelles à cette heure de la nuit ?

— Mais c'était le seul moment tranquille que j'avais !

— Mon pauvre chéri ! Je te ferais remarquer que toi, à coups d'orages, de fusillades, de guets-apens, tu as réussi à ne pas répondre à la question précise que je t'ai posée mercredi soir.

— Je voulais te dire que demain je vais trouver François.

— Avec Mimì ?

— Non, Mimì ne peut pas, il a été touché.

— Oh, mon Dieu ! C'est grave ?

Mimì et elle se plaisaient.

— Laisse-moi finir ! Il a été touché par une pierre à la tête. Une connerie, trois points de suture. Donc, j'y vais seul. La sœur de Mimì veut me parler.

— De François ?

— Et de qui d'autre ?

— Oh, mon Dieu. Il doit aller mal. Je lui téléphone tout de suite !

— Mais non, ils se couchent comme les poules, allons ! Demain soir, dès que je suis rentré, je t'appelle.

— S'il te plaît, tiens-moi au courant. Cette nuit, je ne vais pas fermer l'œil.

9

Pour aller de Vigàta à Calapiano, toute personne
de bon sens, dotée d'une connaissance même super-
ficielle de l'état des voies publiques siciliennes,
aurait d'abord pris la voie rapide pour Catagne, puis
aurait emprunté la route qui s'enfonçait à l'intérieur
des terres vers les 1 120 mètres de Troìna, pour descendre ensuite aux 651 mètres de Gagliano, par une
espèce de chemin qui avait connu sa première et
dernière couverture asphaltée cinquante ans auparavant, aux premiers temps de l'autonomie régionale,
pour enfin rejoindre Calapiano en suivant une pro-
vinciale qui, manifestement, se refusait à être
considérée comme telle, son aspiration authentique
étant de reprendre l'aspect de la draille bouleversée
par un tremblement de terre qu'elle avait été autrefois. Ce n'était pas fini. Le domaine agricole de la
sœur de Mimì Augello et de son mari se trouvait à
quatre kilomètres du village et on y arrivait en suivant un ruban sinueux de pierrailles qui suscitait
même la perplexité des chèvres, s'il s'agissait d'y

poser une seule des quatre pattes dont elles disposaient. Tel était, disons, le parcours optimal, celui que prenait toujours Mimì Augello, où difficultés et désagréments ne devaient être supportés que dans le dernier segment.

Naturellement, il ne fut pas choisi par Montalbano qui, au contraire, décida de couper l'île par le travers, pour se retrouver ainsi à parcourir, dès les premiers kilomètres, des petites routes le long desquelles les paysans survivants interrompaient la besogne pour regarder, ébahis, cette auto hasardeuse qui passait par là. Ils en parleraient à la maison, avec leurs enfants :

— *U sapìti, stamatina ?* Tu sais quoi, ce matin ? Une automobile passa !

Mais c'était là la Sicile qui plaisait au commissaire, âpre, où le vert était rare, sur laquelle il semblait (et il était) impossible de vivre et où il y avait encore des hommes, mais de moins en moins, avec les guêtres, la casquette et le fusil à l'épaule qui le saluaient depuis le dos de leur mule en se portant deux doigts à la visière.

Le ciel était clair et serein, et déclarait sans détour son intention de le rester jusqu'au soir, il faisait presque chaud. Les glaces baissées n'empêchaient pas qu'à l'intérieur de l'habitacle stagnât un délicieux parfum qui filtrait des paquets grands et petits qui s'entassaient littéralement sur le siège arrière. Avant de partir, Montalbano était passé au café Albanese, où ils faisaient les meilleurs gâteaux de tout Vigàta et il avait acheté vingt cannoli qui venaient juste d'être faits, dix kilos de douceurs, *tetù, taralli, viscotti regina, mostazzoli* de Palerme, biscuits de garde, fruits en pâte d'amande et pour couronner le tout, une très colorée cassata de cinq kilos[1].

Il arriva à midi passé, calcula qu'il avait employé plus de quatre heures. La grande ferme lui parut vide, seule la cheminée qui fumait trahissait une présence. Il klaxonna et peu après apparut sur le seuil Franca, la sœur de Mimì. C'était une blonde Sicilienne qui avait passé la quarantaine, forte, grande : elle observait l'auto qu'elle ne connaissait pas en s'essuyant les mains sur le tablier.

— Montalbano je suis, dit le commissaire en ouvrant la portière pour descendre.

Franca courut au-devant de lui avec un large sourire et l'embrassa.

— Et Mimì ?

— Au dernier moment, il n'a pas pu venir. Ça l'a bien embêté.

Franca le fixa. Montalbano ne savait pas sortir de gros bobards aux personnes qu'il estimait, il pataugeait, il rougissait, il détournait le regard.

— Je vais téléphoner à Mimì, dit fermement Franca et elle entra dans la maison.

Montalbano réussit par miracle à se charger de tous les paquets grands et petits et il la suivit.

Franca était en train de raccrocher.

1. *Tetù* : biscuits très durs fabriqués dans la période de Carême ; *taralli* : biscuits ronds recouverts de sucre glace ; *viscotti (biscotti) regina* : biscuits recouverts de graines de sésame ; *mostazzoli* : biscuits au vin ; la cassata sicilienne est un dessert à base de ricotta fourrée de fruits confits et de chocolat et recouverte de pâte d'amande et de fruits confits. *(N.d.T.)*

— Il a encore mal à la tête.

— Tu t'es tranquillisée ? Crois-moi, c'est une connerie, dit le commissaire en déchargeant ses paquets sur la table.

— Et c'est quoi, ça ? dit Franca. Tu veux nous transformer en pâtisserie ?

Elle mit les gâteaux au frigo.

— Comment va, Salvo ?

— Bien. Et vous ?

— Tout le monde va bien, grâce soit rendue *u Signuri*, au seigneur. Et François, n'en parlons pas. Il a poussé, il est devenu moins bébé.

— Où sont-ils ?

— Dans la campagne. Mais quand la cloche sonne, ils grimpent tous pour manger. Tu restes avec nous cette nuit ? Je t'ai préparé une chambre.

— Franca, je te remercie, mais tu sais bien que je peux pas. Je repartirai au plus tard à cinq heures. Moi, je suis pas comme ton frère qui roule comme un fou sur ces routes.

— Va te laver un peu, va.

Il revint rafraîchi un quart d'heure plus tard, Franca préparait la table pour une dizaine de personnes. Le commissaire pinsa que peut-être le bon moment était venu.

— Mimì m'a dit que tu voulais me parler.

— Après, après, dit Franca, pressée. Tu as du pétit ?

— Ben oui.

— Tu veux te manger un peu de pain de froment ? Je l'ai sorti du four y a pas une heure. Je te l'assaisonne ?

Sans attendre la réponse, elle coupa deux tranches d'une miche, les assaisonna d'huile d'olive, sel, poivre noir et pecorino, les mit l'une sur l'autre, les lui tendit.

Montalbano sortit, s'assit sur un banc à côté de la porte et, à la première bouchée, se sentit rajeunir de quarante ans, il redevint minot, c'était le pain comme le lui assaisonnait sa grand-mère.

Ça se mangeait au soleil, sans pinser à rien, juste en jouissant d'être en harmonie avec le corps, avec la terre, avec l'odeur d'herbe. Peu après, il entendit des cris et vit arriver trois enfants qui se poursuivaient, se bousculaient, se faisaient des crocs-en-jambe. C'était Giuseppe, neuf ans, son frère Domenico, auquel avait été donné le nom de l'oncle Mimì, du même âge que François et François lui-même.

Le commissaire fut ébahi en le voyant : il était devenu le plus grand de tous, le plus vivace et le plus garçon. Comment diable avait-il fait pour se transformer comme ça en deux mois à peine qu'il ne l'avait pas vu ?

Il courut au-devant de lui, bras ouverts. François le reconnut, s'arrêta net tandis que ses compagnons se dirigeaient vers la maison. Montalbano s'accroupit, les bras toujours écartés.

— Salut, François.

Le gamin bondit, l'évita en faisant un crochet.

— Salut.

Le commissaire le vit disparaître à l'intérieur de la maison. Que se passait-il ? Pourquoi n'avait-il lu aucune joie dans les yeux du minot ? Il se consola en se disant qu'il s'agissait peut-être d'un ressentiment infantile, François s'était probablement senti négligé.

Les deux bouts de la table furent attribués au commissaire et à Aldo, le mari de Franca, homme peu disert qui portait bien son nom de famille, Gagliardo, gaillard. A droite étaient assis Franca et les trois minots, François le plus loin, assis près d'Aldo. A gauche, trois jeunes d'une vingtaine d'années, Mario, Giacomo et Ernst. Les deux premiers étaient des étudiants qui gagnaient leur vie en besognant à la campagne, le troisième, un Allemand de passage, dit à Montalbano qu'il espérait rester encore trois mois. Le déjeuner, pâtes au jus de saucisses et saucisses à la braise, fut assez rapide, Aldo et ses trois aides étaient pressés de retourner à la besogne. Tous se jetèrent sur les gâteaux apportés par le commissaire. Puis, sur un signe de tête d'Aldo, ils se levèrent et sortirent.

— Je te prépare un autre café, dit Franca.

Montalbano était inquiet, il avait vu qu'Aldo, avant de sortir, avait échangé un bref regard avec sa femme. Franca servit le café et s'assit devant le commissaire.

— C'est sérieux, attaqua-t-elle.

Et à ce moment, entra François, l'air décidé, poings serrés et tendus le long des flancs. Il s'arrêta devant Montalbano, le fixa d'un regard dur et dit d'une voix qui tremblait :

— Toi, tu m'emmènes pas loin de mes frères.

Il tourna le dos, s'enfuit. Un coup de massue. Montalbano se sentit la bouche sèche. Il dit la première chose qui lui passa par la tête et malheureusement, c'était crétin :

— Qu'est-ce qu'il a bien appris à parler !

— Ce que je voulais te dire, le minot te l'a déjà dit, expliqua Franca. Et tiens compte qu'Aldo et moi on a passé notre temps à lui parler de Livia et de toi, de comment il se trouverait bien avec vous deux, à lui dire comment vous l'aimiez, que vous l'aimiez beaucoup. Mais il n'y a rien eu à faire. C'est une pinsée qui lui est venue tout à coup il y a un mois, dans la nuit. Je dormais, j'ai senti qu'on me touchait un bras. C'était lui. « Tu te sens mal ? » « Non. » « Alors, qu'est-ce que tu as ? » « J'ai peur. » « Peur de quoi ? » « Que Salvo vienne pour m'emmener. »

De temps en temps, pendant qu'il joue, qu'il mange, cette pinsée lui revient et alors il s'assombrit, il devient même méchant.

Franca continua à parler, mais Montalbano ne l'entendait plus. Il était perdu dans sa mémoire, à la poursuite d'un souvenir de l'époque où il avait l'âge de François, un an de moins même. Sa grand-mère était en train de mourir, sa mère gravement malade (mais cela, il l'avait su plus tard) et son père, pour pouvoir mieux s'en occuper, l'avait conduit chez une de ses sœurs, Carmela, mariée avec le propriétaire d'un bazar très désordonné, un homme doux et gentil qui s'appelait Pippo Sciortino. Ils n'avaient pas d'enfants. Au bout d'un certain temps, son père était venu le reprendre, avec une cravate noire et un large brassard noir au bras gauche, il s'en souvenait très bien. Mais il s'était refusé.

— Avec toi, moi je viens pas. Je reste avec Carmela et Pipo. Je m'appelle Sciortino.

Il avait encore devant les yeux le visage douloureux de son père, les faces embarrassées de Pippo et de Carmela.

— … parce que les minots ne sont pas des paquets qu'on peut déposer tantôt ici et tantôt là, conclut Franca.

Au retour, il prit la route la plus facile et vers neuf heures du soir, il était déjà à Vigàta. Il voulut passer chez Mimì Augello.

— Je te trouve meilleure mine.

— Cet après-midi, j'ai réussi à dormir. Tu t'en es pas sorti, avec Franca, hein ? Elle m'a téléphoné, elle était inquiète.

— C'est une femme très, très intelligente.

— De quoi elle voulait te parler ?

— De François. Il y a un problème.

— Le minot s'est attaché à eux ?

— Comment tu le sais ? C'est ta sœur qui te l'a dit ?

— Elle n'en a pas parlé avec moi. Mais c'est tellement sorcier à comprendre ? Je me l'imaginais, que ça finirait comme ça.

Montalbano fit les brègues.

— Je comprends que la chose te blesse, dit Mimì, mais qui te dit que ce n'est pas une chance ?

— Pour François ?

— Pour lui aussi. Mais surtout pour toi, Salvo. Toi, t'es pas fait pour faire le père, même d'un fils adoptif.

A peine eut-il passé le pont qu'il vit que les lumières étaient allumées dans la maison d'Anna. Il se gara, sortit.

— Qui est-ce ?

— Salvo, je suis.

Anna lui ouvrit la porte, le fit entrer dans la salle à manger. Elle était en train de regarder un film mais éteignit tout de suite le téléviseur.

— Tu veux une goutte de whisky ?

— Oui. Sec.

— Tu es abattu ?

— Un petit peu.

— C'est pas facile à digérer, ce genre de chose.

— Eh non.

Il réfléchit un instant sur ce que venait de lui dire Anna : pas facile à digérer. Mais comment pouvait-elle savoir, pour François ?

— Mais toi, Anna, comment tu l'as su, excuse-moi ?

— Ils l'ont dit à huit heures à la télévision.

Mais de quoi parlait-elle ?

— Quelle télévision ?

— « Televigàta ». Ils ont dit que le Questeur a confié l'enquête sur le meurtre Licalzi au chef de la Criminelle.

Montalbano fut pris d'hilarité.

— Mais qu'est-ce que tu veux que ça me foute ! Moi, je parlais de bien autre chose !

— Alors, dis-moi ce qui t'abat comme ça.

— Une autre fois, excuse-moi.

— Tu as vu aussi le mari de Michela ?

— Oui, hier après-midi.

— Il t'a parlé de son mariage blanc ?

— Tu le savais ?

— Oui, elle me l'avait dit. Michela avait beaucoup d'affection pour lui, tu sais. Dans ces conditions, se prendre un amant n'est pas vraiment une trahison. Il était au courant.

Le téléphone sonna dans une autre pièce, Anna alla répondre et revint troublée.

— Une amie m'a téléphoné. Il paraît qu'il y a une demi-heure, ce chef de la Criminelle est allé chez l'ingénieur Di Blasi et se l'est emmené à la Questure de Montelusa. Qu'est-ce qu'ils lui veulent ?

— Simple, savoir où est passé Maurizio.

— Mais alors, on le soupçonne déjà !

— C'est la chose la plus évidente, Anna. Et le *dottor* Ernesto Panzacchi, chef de la Brigade criminelle, est un homme absolument évident. Bon, merci pour le whisky et bonne nuit.

— Comment, tu t'en vas comme ça ?

— Excuse-moi, je suis fatigué. On se voit demain.

Il lui était venu un accès de mauvaise humeur, lourde et dense.

Il ouvrit la porte de chez lui d'un coup de pied et courut répondre au téléphone.

— Salvo, putain ! Tu parles d'un ami !

Il reconnut la voix de Nicolò Zito, le journaliste de Retelibera, avec lequel il avait des rapports d'amitié sincère.

— C'est vrai, cette histoire comme quoi tu as plus l'enquête ? Moi, je n'ai pas passé la nouvelle, je voulais d'abord que tu me la confirmes. Mais si c'est vrai, pourquoi tu ne me l'as pas dite ?

— Excuse-moi, Nicolò, c'est arrivé hier soir tard. Et ce matin, tôt, je suis parti. Je suis allé trouver François.

— Tu veux que je fasse quelque chose avec la télévision ?

— Non, rien, merci. Ah, je te dis une chose que certainement tu ne sais pas encore, comme ça je compense. Le *dottor* Panzacchi a emmené à la Questure pour interrogatoire l'ingénieur du bâtiment Aurelio Di Blasi, de Vigàta.

— C'est lui qui l'a tuée ?

— Non, ils suspectent le fils Maurizio qui a disparu la nuit même où on a tué Mme Licalzi. Lui, le jeune, il était très amoureux d'elle. Ah, autre chose. Le mari de la victime est à Montelusa, à l'hôtel Jolly.

— Salvo, s'ils te virent de la police, je t'engage. Mate-toi le journal de minuit. Et merci, merci beaucoup.

A Montalbano, la mauvaise humeur passa tandis qu'il raccrochait.

Le *dottor* Ernest Panzacchi était servi : à minuit, tous ses mouvements seraient tombés dans le domaine public.

Il n'avait aucune envie de manger. Il se déshabilla, se mit sous la douche, y resta longtemps. Il passa un slip et un tricot de corps propres. Maintenant venait la partie difficile.

— Livia.

— Ah, Salvo, ça fait un bail que j'attends ton coup de fil ! Comment va François ?

— Il va très bien. Il est devenu grand.

— Tu as vu quels progrès il a faits ? Chaque semaine, quand il me téléphone, il parle mieux l'italien. Il est devenu fort pour se faire comprendre, hein ?

— Trop, même.

Livia n'y prêta pas attention, une autre question lui brûlait les lèvres.

— Qu'est-ce qu'elle voulait, Franca ?

— Elle voulait me parler de François.

— Il est trop vif ? Il désobéit ?

— Livia, la question n'est pas là. Nous avons peut-être commis une erreur de le laisser si longtemps avec Franca et son mari. Le gosse s'est attaché à eux, il m'a dit qu'il ne veut plus les laisser.

— C'est lui qui te l'a dit ?

— Oui, spontanément.

— Spontanément ! Mais qu'est-ce que tu es con, parfois !

— Pourquoi ?

— Mais parce qu'ils lui ont dit de te dire ça ! Ils veulent se le prendre ! Ils ont besoin d'une main-d'œuvre gratuite pour leur ferme, ces deux salopards !

— Livia, tu déparles.

— Non, c'est comme je te dis, moi ! Ils veulent se le garder ! Et toi, tu es bien content de le leur laisser !

— Livia, essaie de raisonner.

— Je raisonne, mon cher, je raisonne très bien !

Et je vais vous le montrer, à toi et à ces deux voleurs d'enfant !

Elle raccrocha. Sans rien se mettre de plus, le commissaire alla s'asseoir sur la véranda, s'alluma une cigarette et enfin, depuis des heures qu'il la contenait, il laissa libre cours à sa mélancolie. Désormais, François était perdu, même si Franca leur avait laissé, à Livia et à lui, la décision. La vérité, nue et crue, était ce que lui avait dit la sœur de Mimì : les enfants ne sont pas des paquets qu'on peut déposer tantôt ici et tantôt là. On ne peut pas ne pas tenir compte de leurs sentiments. Maître Rapisarda, qui suivait pour lui la procédure d'adoption, lui avait dit qu'il faudrait encore au moins six mois. Et François aurait tout le temps de pousser des racines dures comme fer chez les Gagliardo. Livia délirait si elle croyait que Franca aurait pu mettre les paroles à dire dans la bouche de l'enfant. Montalbano avait bien vu le regard de François quand il avait couru au-devant de lui pour l'embrasser. Maintenant, il se les rappelait bien, ces yeux : il y avait en eux des peurs et une haine enfantines. Par ailleurs, il comprenait les sentiments du minot : il avait déjà perdu sa mère et craignait de perdre sa nouvelle famille. Si on allait bien au fond, Livia et lui n'avaient été que très peu de temps avec le petit, leurs silhouettes avaient pâli en peu de temps. Montalbano sentit que jamais, au grand jamais, il n'aurait le courage d'infliger un autre traumatisme à François. Il n'en avait pas le droit. Et Livia non plus. Le minot était perdu pour toujours. Pour ce qui le concernait, il accepterait qu'il reste avec Aldo et Franca, lesquels seraient heureux de l'adopter. Maintenant, il avait froid, il se leva, rentra.

— *Dottore*, vous dormiez ? Fazio à l'appareil. Je voulais vous informer que cet après-midi, nous nous sommes réunis en assemblée. Nous avons écrit une lettre de protestation au Questeur. Tout le monde l'a signée, le *dottor* Augello en tête. Je vous la lis : « Nous, soussignés, attachés au commissariat de Sécurité publique de Vigàta, déplorons… »

— Attends, vous l'avez envoyée ?

— Oui, *dottore*.

— Mais quelle bande de cons ! Vous pouviez me mettre au courant avant de l'envoyer !

— Pourquoi, avant ou après, quelle importance ?

— Parce que je vous aurais dissuadé de faire une connerie pareille.

Il coupa la communication, vraiment fou de rage.

Il lui fallut du temps pour trouver le sommeil. Mais au bout d'une heure qu'il dormait, il se réveilla, alluma, se mit debout dans le lit. Ça avait été comme un éclair, ce qui lui avait fait ouvrir les yeux. Durant l'examen des lieux avec le Dr Licalzi dans la villa, il y avait eu quelque chose, une parole, un son, comment dire, dissonant. Qu'est-ce que c'était ? Il eut un sursaut de révolte contre lui-même : « Mais qu'est-ce que j'en ai à foutre ? L'enquête ne m'appartient plus. »

Il éteignit la lumière, se recoucha.

— Pas plus que François, ajouta-t-il, amer.

10

Le lendemain, au commissariat, l'effectif était
presque au complet : Augello, Fazio, Germanà,
Gallo, Galluzzo, Giallombardo, Tortorella et
Grasso. Il ne manquait que Catarella, absent excusé
parce qu'à Montelusa, à sa première leçon du cours
d'informatique. Tous faisaient des brègues de six
pieds de long, ils évitaient Montalbano comme s'il
était contagieux, ils ne le regardaient pas dans les
yeux. Ils avaient été doublement offensés, en premier par le Questeur qui avait retiré l'enquête à leur
chef seulement pour lui faire du tort, en second par
leur chef lui-même qui avait réagi par des mauvaises manières. Non seulement ils n'avaient pas
été remerciés, tant pis, le commissaire était fait
comme ça, mais en plus, ils avaient été traités de
cons, comme l'avait rapporté Fazio.

Tous les présents, donc, étaient écœurés à mort
parce qu'à l'exception de l'homicide Licalzi,
depuis deux mois rien de solide ne se passait. Par
exemple, les familles Cuffaro et Sinagra, les deux

clans qui se disputaient le territoire et avaient l'habitude de faire retrouver, avec une belle régularité, un tué par mois (une fois un des Cuffaro et la fois d'après, un des Sinagra), semblaient depuis quelque temps avoir perdu l'enthousiasme. Et cela depuis que Giosuè Cuffaro, arrêté et repenti en un éclair de ses crimes, avait envoyé en taule Peppucio Sinagra, lequel, arrêté et repenti en un éclair de ses crimes, avait envoyé à l'ombre Antonio Smecca, cousin des Cuffaro, lequel, repenti en un éclair de ses crimes, avait mis dans la merde Cicco Lo Càrmine, des Sinagra, lequel...

Les seules détonations entendues à Vigàta remontaient à un mois, pour la fête de San Gerlando, où on avait tiré un feu d'artifice.

— Les numéros un sont tous en prison ! s'était triomphalement exclamé le Questeur Bonetti-Alderighi durant une conférence de presse très fréquentée.

« Et ceux qui ont cinq étoiles sont à leur poste », avait pinsé le commissaire.

Ce matin-là, Grasso, qui avait pris la place de Catarella, faisait des mots croisés, Gallo et Galluzzo s'affrontaient à la *scopa*, Giallombardo et Tortorella jouaient aux dames, les autres lisaient ou contemplaient le mur. En somme, ça bouillonnait d'activité.

Sur sa table, Montalbano trouva une montagne de papiers à signer et de procédures à expédier. Une subtile vengeance de ses hommes ?

La bombe, inattendue, explosa à une heure, quand le commissaire, le bras droit ankylosé, méditait d'aller manger.

— *Dottore*, il y a une dame, Anna Tropeano, qui demande après vous. Elle m'a l'air dans tous ses états, lui dit Grasso, de service au téléphone pour ce matin.

— Salvo ! Mon Dieu ! Dans les titres du journal télévisé, ils viennent de dire que Maurizio a été tué !

Au commissariat, on n'avait pas de téléviseur. Montalbano se rua hors de son bureau pour courir au bar voisin.

Fazio l'intercepta :

— *Dottore*, qu'est-ce qui se passe ?

— On a tué Maurizio Di Blasi.

Gelsomino, le propriétaire du bar, et deux clients regardaient, bouche bée, la télévision où un journaliste de Televigàta était en train de parler de l'événement.

— … et durant ce long interrogatoire nocturne de l'ingénieur Aurelio Di Blasi, le chef de la Brigade criminelle de Montelusa, le *dottor* Ernesto Panzacchi, aboutissait à l'hypothèse que le fils de ce dernier, Maurizio, sur lequel pesaient de graves soupçons pour le meurtre de Michela Licalzi, pouvait s'être caché dans une maison de campagne située sur le territoire de Raffadali, propriété des Di Blasi. Mais l'ingénieur soutenait que son fils ne s'était pas réfugié là, puisque lui-même l'y avait cherché la veille. Vers dix heures, ce matin, le *dottor* Panzacchi, avec six agents, se rendait à Raffadali et commençait une perquisition minutieuse de la maison qui est plutôt grande. Soudain, un des agents remarquait un homme en train de courir sur les pentes d'une colline pelée tout contre l'arrière de la maison. Lancés à sa poursuite, le *dottor* Panzacchi et ses agents repéraient une caverne dans laquelle Di Blasi s'était tapi. Le *dottor* Panzacchi, ayant opportunément disposé les agents, intimait à l'homme de sortir mains en l'air. A l'improviste, Di Blasi sortait en criant : « Punissez-moi ! Punissez-moi ! » et en brandissant une arme d'un air menaçant. Un des agents faisait promptement feu et le jeune Maurizio Di Blasi tombait, frappé à mort par une rafale dans la poitrine. L'invocation quasi dostoïevskienne du jeune homme, « punissez-moi ! », sonne comme un aveu. L'ingénieur Aurelio Di Blasi a été invité à désigner un défenseur. Sur lui pèsent de graves soupçons de complicité dans la fuite de son fils, si tragiquement terminée.

Tandis qu'une photo du visage chevalin du jeune apparaissait, Montalbano sortit du bar, s'en retourna au commissariat.

— Si le Questeur ne t'avait pas retiré l'enquête, ce pauvre type serait certainement encore en vie ! s'exclama Mimì, rageur.

Montalbano ne répondit pas, il entra dans son bureau, ferma la porte. Il y avait une contradiction, grosse comme une maison, dans le récit du journaliste. Si Maurizio Di Blasi voulait être puni, si cette punition, il la désirait tant que ça, pourquoi tenait-il en main une arme avec laquelle il menaçait les agents ? Un homme armé, qui pointe le pistolet sur ceux qui veulent l'arrêter, ne désire pas une punition, il tente seulement de se soustraire à l'arrestation, de s'échapper.

— Fazio, je suis. Je peux entrer, *dottore* ?

Avec étonnement, le commissaire vit qu'à la suite de Fazio entraient aussi Augello, Germanà, Gallo, Galluzzo, Giallombardo, Tortorella et même Grasso.

— Fazio a parlé avec un de ses amis de la Criminelle de Montelusa, dit Mimì Augello et il fit signe à l'intéressé de continuer.

— Vous le savez quelle était l'arme avec laquelle le jeune a menacé le *dottor* Panzacchi et ses hommes ?

— Non.

— Une chaussure. Sa chaussure droite. Avant de tomber, il a eu le temps de l'envoyer contre Panzacchi.

— Anna ? Montalbano, je suis. J'ai entendu.

— Ça ne peut pas être lui, Salvo ! J'en suis convaincue ! Tout ça, c'est une tragique erreur ! Tu dois faire quelque chose !

— Ecoute, je ne t'ai pas appelée pour ça. Tu la connais, Mme Di Blasi ?

— Oui. Nous nous sommes parlé quelquefois.

— Va tout de suite chez elle. Je ne suis pas tranquille. Je ne voudrais pas qu'elle reste seule avec son mari en taule et son fils qui vient d'être tué.

— J'y vais tout de suite.

— *Dottore*, je peux vous dire quelque chose ? Cet ami de la Criminelle de Montelusa a retéléphoné.

137

— Et il t'a dit que pour l'histoire de la chaussure, il avait voulu galéger, il voulait te faire une blague.

— Exactement. Donc, l'histoire est vraie.

— Ecoute, maintenant, je vais chez moi. Je crois que cet après-midi, je vais rester à Marinella. Si vous avez besoin de moi, appelez-moi là.

— *Dottore*, vous devez faire quelque chose.

— Mais arrêtez de me casser les couilles, tous tant que vous êtes !

Passé le pont, il continua tout droit, il n'avait pas envie de s'entendre dire une nouvelle fois, par Anna aussi, qu'il devait absolument intervenir. A quel titre ? Voilà, il est à vous, le chevalier sans peur et sans reproche ! Voilà, il est à vous, Robin des Bois, Zorro et le justicier surgi de la nuit en une seule et même personne : Salvo Montalbano !

Le pétit d'avant lui était passé, il se remplit une soucoupe d'olives vertes et noires, coupa une tranche de pain et, tandis qu'il pignochait, il fit le numéro de Zito.

— Nicolò ? Montalbano, je suis. Tu saurais me dire si le Questeur a convoqué une conférence de presse ?

— Elle est fixée pour cinq heures de cet après-midi.

— Tu y vas ?

— Naturellement.

— Il faut que tu me rendes un service. Demande à Panzacchi quelle était l'arme avec laquelle Maurizio Di Blasi les a menacés. Et après qu'il te l'a dit, demande-lui de te la faire voir.

— Qu'est-ce qu'il y a là-dessous ?

— Je te le dirai en temps voulu.

— Salvo, je peux te dire une chose ? Ici, nous sommes tous convaincus que si l'enquête était restée entre tes mains, Maurizio Di Blasi serait encore vivant.

Nicolò s'y mettait aussi, après Mimì.

— Mais allez tous caguer !

— Merci, j'en ai besoin, depuis hier je suis bloqué. Tu sais, la conférence, nous la transmettons en direct.

Il alla s'asseoir dans la véranda, le livre de Denevi en main. Mais il ne réussit pas à le lire. Une pinsée lui tournicotait dans la tête, celle-là même qu'il avait eue la nuit précédente : qu'est-ce qu'il avait vu ou entendu d'étrange, d'anormal, durant l'examen des lieux, dans la villa, avec le médecin ?

La conférence de presse commença à cinq heures pile, Bonetti-Alderighi était un maniaque de la ponctualité (« c'est la politesse des rois », répétait-il à qui voulait l'entendre ; à l'évidence, son sang noble lui montait à la tête, il se voyait avec la croix couronnée).

A trois, ils siégeaient derrière une table recouverte d'une nappe verte, le Questeur au milieu, à sa droite Panzacchi et à sa gauche le *dottor* Lactes. Debout, derrière eux, les six agents qui avaient participé à l'action. Tandis que les visages des agents étaient sérieux et tendus, ceux des trois chefs exprimaient une satisfaction modérée, modérée parce qu'on n'avait pu éviter un mort.

Le Questeur prit le premier la parole, il se limita à faire l'éloge d'Ernesto Panzacchi (« un homme destiné à un brillant avenir ») et un brin de reconnaissance, il l'adressa à lui-même, pour avoir pris la décision de confier l'enquête au chef de la Criminelle, lequel avait « su résoudre l'affaire en vingt-quatre heures, alors que d'autres, avec des méthodes désormais désuètes, qui sait combien de temps il leur aurait fallu ».

Montalbano, devant son téléviseur, encaissa sans réagir, même mentalement.

La parole passa donc à Ernesto Panzacchi, lequel répéta exactement ce que le commissaire avait déjà entendu du journaliste de Televigàta. Il ne s'attarda pas aux détails, il semblait avoir hâte d'en finir.

— Quelqu'un a des questions à poser ? demanda le *dottor* Lactes.

Un doigt se leva.

— Vous êtes sûr que le jeune homme a crié : « Punissez-moi » ?

— Tout à fait sûr. Deux fois. Tout le monde l'a entendu.

Et il se tourna pour regarder les six agents qui baissèrent la tête en signe d'acquiescement : on aurait dit des marionnettes à fil.

— Et sur quel ton ! insista Panzacchi. Désespéré.

— De quoi est accusé le père ? demanda un deuxième journaliste.

— De complicité, dit le Questeur.

— Et peut-être aussi d'autre chose, ajouta Panzacchi, avec un petit air mystérieux.

— Complicité dans le meurtre ? hasarda un troisième.

— Je n'ai pas dit cela, dit sèchement Panzacchi.

Enfin Nicolò Zito fit signe qu'il voulait parler.

— Avec quelle arme Maurizio Di Blasi vous a-t-il menacé ?

Les journalistes qui ignoraient ce qu'il en était ne remarquèrent certainement rien, mais le commissaire vit distinctement les six agents en uniforme se figer, le demi-sourire disparaître du visage du chef de la Criminelle. Seuls le Questeur et son chef de cabinet n'eurent pas de réaction particulière.

— Une grenade, dit Panzacchi.

— Et qui la lui aurait donnée ? insista Zito.

— Ecoutez, c'était un objet datant de la dernière guerre, mais qui fonctionnait. Nous avons une petite idée d'où il pouvait l'avoir trouvée, mais nous devons encore faire des vérifications.

— Vous pouvez nous la faire voir ?

— C'est la Scientifique qui l'a.

Et là-dessus la conférence de presse se termina.

A six heures et demie, il appela Livia. Le téléphone sonna longtemps dans le vide. Il commença à s'inquiéter. Et si elle s'était sentie mal ? Il appela Giovanna, amie et collègue de travail de Livia, dont il avait le numéro. Celle-ci lui rapporta que Livia était bien allée normalement travailler mais qu'elle, Giovanna, l'avait trouvée très pâle et nerveuse. Livia l'avait avertie aussi qu'elle avait décroché le téléphone, elle ne voulait pas être dérangée.

— Comment ça va entre vous ? lui demanda Giovanna.

— Je dirais pas très bien, répondit diplomatiquement Montalbano.

Quoi qu'il fît, lire le livre ou regarder la mer en fumant une cigarette, soudain la question lui revenait, précise, insistante : qu'est-ce qu'il avait vu ou entendu dans la villa qui ne collait pas ?

— Allô, Salvo ? Ici, Anna. Je viens juste de quitter Mme Di Blasi. Tu as bien fait de me dire d'y aller. Parents et amis se sont bien gardés de se montrer, tu comprends, mieux vaut éviter une famille où il y a un père arrêté et un fils assassin. Bande de cornards.

— Comment va Mme Di Blasi ?

— Comment tu veux qu'elle aille ? Elle a eu un malaise, j'ai dû appeler le médecin. Maintenant, elle se sent mieux, aussi parce que l'avocat choisi par le mari lui a téléphoné pour lui dire que l'ingénieur allait être relâché d'ici peu.

— Ils n'ont pas retenu la complicité ?

— Je ne saurais te le dire. Il paraît qu'il sera tout de même mis en examen, mais laissé en liberté. Tu passes chez moi ?

— Je ne sais pas, je verrai.

— Salvo, il faut que tu te bouges. Maurizio était innocent, j'en suis sûre, on l'a assassiné.

— Anna, ne te mets pas des idées fausses en tête.

— Allô, *dottori* ? C'est vous pirsonnellement en pirsonne ? Le mari de la vitime tiliphona pour vous

142

dire comme ça si vous pirsonnellement vous l'appelleriez au Ciolli, ce soir envers les dix heures.

— Merci. Comment ça s'est passé, le premier jour de cours ?

— Bien, *dottori*, bien. J'ai accompris tout. Le porfesseur m'a félicité. Il dit comme ça que les pirsonnes comme moi sont rares.

Le coup de génie lui vint peu après huit heures et il le mit en œuvre sans perdre une minute. Il monta en voiture, partit pour Montelusa.

— Nicolò est en studio, lui dit une secrétaire, mais il a presque fini.

Cinq minutes n'étaient pas passées qu'arrivait Zito, essoufflé.

— Je te l'ai rendu, ton service, tu l'as vue, la conférence de presse ?

— Oui, Nicolò, et il me semble que nous avons mis dans le mille.

— Tu peux me dire pourquoi cette grenade est si importante ?

— Tu sous-estimes une grenade ?

— Allez, dis-moi de quoi il s'agit.

— Pour l'instant, je ne peux pas. Ou plutôt, tu le comprendras d'ici peu, mais ça te regarde et moi je ne t'ai rien dit.

— Allez, dis-moi ce que je dois faire ou dire au journal télévisé ? Tu es là pour ça, non ? Désormais, tu es mon metteur en scène occulte.

— Si tu le fais, je te fais un cadeau.

Il tira de sa poche une des photos de Michela que lui avait données le Dr Licalzi, et la lui tendit.

— Tu es le seul journaliste à savoir comment

elle était de son vivant. A la Questure de Montelusa, ils n'ont pas de photo : les documents d'identité, le permis, le passeport s'il y en avait un, se
trouvaient dans le sac et l'assassin l'a emporté. Tu
peux la faire voir à tes téléspectateurs, si tu veux.

Nicolò Zito tordit la bouche.

— Alors le service que tu vas me demander doit
être gros. Accouche.

Montalbano se leva, alla fermer à clé la porte du
bureau du journaliste.

— Non, fit Nicolò.

— Non quoi ?

— Non à quoi que ce soit que tu veuilles me
demander. Si tu as fermé la porte, moi je marche
pas.

— Si tu me donnes un coup de main, après je te
donnerai les éléments pour déclencher un bordel
au niveau national.

Zito ne répondit pas, manifestement il était par-
tagé, il avait un cœur d'âne et un cœur de lion.

— Que dois-je faire ? demanda-t-il enfin à mi-
voix.

— Tu dois dire que deux témoins t'ont téléphoné.

— Ils existent ?

— Un oui et l'autre non.

— Dis-moi seulement ce qu'a dit celui qui
existe.

— Les deux. A prendre ou à laisser.

— Mais tu te rends compte que si on découvre
que je me suis inventé un témoin on peut me retirer
ma carte ?

— Bien sûr. Dans ce cas, je t'autorise à dire que

144

c'est moi qui t'ai convaincu. Comme ça, moi aussi on me vire et on ira ensemble cultiver des fèves.

— Faisons comme ça. D'abord, tu me dis le faux. Si la chose est faisable, tu me dis aussi le vrai.

— D'accord. Cet après-midi, après la conférence de presse, quelqu'un t'a téléphoné qui se trouvait à chasser près de l'endroit où on a abattu Maurizio Di Blasi. Il a dit que les choses ne se sont pas passées comme a déclaré Panzacchi. Puis il a raccroché, sans laisser son nom ni son prénom. Il était visiblement effrayé. Tu cites cet épisode en passant, tu affirmes noblement que tu ne veux pas lui donner trop de poids étant donné qu'il s'agit d'un coup de fil anonyme et que ta déontologie ne te permet pas de donner du crédit à des insinuations anonymes.

— Mais en attendant, je l'ai dit.

— Excuse, Nicolò, mais c'est pas votre technique habituelle ? Jeter la pierre et cacher la main.

— A ce propos, après je te dirai une chose. Allez, parle-moi du vrai témoin.

— Il s'appelle Gillo Jàcono, mais tu ne donneras que ses initiales, G.J., c'est tout. Ce monsieur, mercredi, peu après minuit, a vu arriver à la villa la Twingo, en descendre Michela et un inconnu et les deux se diriger tranquillement vers la maison. L'homme avait une valise. Une valise, pas une mallette. Maintenant, la question est la suivante : pourquoi Maurizio Di Blasi est-il allé violenter Mme Licalzi avec une valise ? Dedans, il y avait les draps de rechange au cas où il salirait le lit ? Et encore : ceux de la Criminelle l'ont retrouvée quel-

que part ? Dans la villa, ça, c'est sûr, elle n'y était
pas.

— C'est tout ?

— C'est tout.

Nicolò était devenu froid, à l'évidence, il n'avait
pas avalé le reproche de Montalbano sur les habi-
tudes des journalistes.

— A propos de ma déontologie, cet après-midi,
après la conférence de presse, un chasseur m'a
téléphoné pour me dire que les choses ne s'étaient
pas passées comme on l'avait dit. Mais comme il
n'a pas voulu dire son nom, la nouvelle, moi je ne
l'ai pas passée.

— Tu me prends pour un con.

— Maintenant, j'appelle le secrétariat, et je te
fais entendre l'enregistrement du coup de fil, dit le
journaliste en se levant.

— Esscuse, Nicolò. Pas besoin.

11

Il se tortilla toute la nuit sur le lit, mais il ne put trouver le sommeil. Il avait devant lui le tableau de Maurizio qui arrivait à balancer sa chaussure contre ses persécuteurs, le geste en même temps comique et désespéré d'un pauvre type traqué. « Punissez-moi », avait-il crié, et tous, là, à interpréter cette invocation de la manière la plus évidente et tranquillisante, punissez-moi parce que j'ai violé et tué, punissez-moi parce que j'ai péché. Mais s'il avait, en cet instant, voulu signifier tout autre chose ? Que lui était-il passé par la tête ? Punissez-moi parce que je suis différent, punissez-moi parce que j'ai trop aimé, punissez-moi d'être né : on pouvait continuer à l'infini, et là, le commissaire s'arrêta, aussi bien parce qu'il n'aimait pas les glissements dans la philosophie littéraire à deux sous que parce qu'il avait compris, d'un coup, que le seul moyen d'exorciser cette image obsessionnelle et ce cri, ce n'était pas une interrogation dans les généralités, mais la confrontation avec les faits. Pour cela, il n'y avait qu'une voie, une seule. Et ce fut alors qu'il réussit à fermer les yeux pour deux heures.

— Tout le monde, dit-il à Mimì Augello en entrant au commissariat.

Cinq minutes plus tard, ils étaient tous dans son bureau, devant lui.

— Mettez-vous à l'aise, dit Montalbano. Ce n'est pas un discours officiel, c'est entre amis.

Mimì et deux ou trois autres s'assirent, les autres restèrent debout. Grasso, le remplaçant de Catarella, s'appuya au chambranle, une oreille tendue vers le standard.

— Hier, dès qu'on a su que Di Blasi avait été abattu, le *dottor* Augello m'a dit une chose qui m'a blessé. Plus ou moins, il m'a dit ceci : si l'enquête, tu te l'étais gardée, à cette heure, ce jeune homme vivrait encore. J'aurais pu répondre que l'enquête m'avait été enlevée par le Questeur et que donc, moi, je n'avais aucune responsabilité. Cela, formellement, c'est vrai. Mais le *dottor* Augello avait raison. Quand le Questeur m'a convoqué pour me donner l'ordre de ne plus enquêter sur le meurtre, j'ai cédé à l'orgueil. Je n'ai pas protesté, je ne me suis pas rebellé, je lui ai laissé comprendre qu'il pouvait se la mettre au cul, son enquête. Et comme ça, j'ai mis en jeu la vie d'un homme. Parce que c'est sûr, aucun de vous n'aurait tiré sur un pauvre type qui n'avait pas toute sa tête.

Ils ne l'avaient jamais entendu parler ainsi, ils le fixaient ébahis, en retenant leur respiration.

— Cette nuit, j'ai pinsé à ça et j'ai pris une décision. Je me ressaisis de l'enquête.

Qui fut le premier à applaudir ? Montalbano sut transformer son émotion en ironie.

— Je vous ai déjà dit que vous étiez cons, ne m'obligez pas à me répéter. L'enquête, continua-t-il, est désormais close. Donc, si vous êtes tous d'accord, il va nous falloir procéder en nous déplaçant sous la surface, avec juste le périscope dehors. Je dois vous avertir : si, à Montelusa, ça vient à se savoir, ça pourrait signifier des emmerdes sérieuses pour chacun de nous.

— Commissaire Montalbano ? Je suis Emanuele Licalzi.

Montalbano se rappela que Catarella, la veille au soir, lui avait dit que le médecin avait appelé. Il avait oublié.

— Excusez-moi, mais hier soir, j'ai eu...

— Mais je vous en prie, voyons. D'abord, de hier soir à aujourd'hui, il y a eu du changement.

— En quel sens ?

— Dans le sens qu'en fin d'après-midi, hier, j'avais reçu l'assurance que pour mercredi matin, je pourrais partir pour Bologne avec le corps de la pauvre Michela. Ce matin, tôt, on m'a appelé de la Questure pour me dire qu'on avait besoin d'un délai, la cérémonie funèbre ne pourrait avoir lieu que vendredi. Donc, j'ai décidé de repartir et de revenir jeudi soir.

— Docteur, vous avez sûrement appris que l'enquête...

— Oui, bien sûr, mais je ne me référais pas à

l'enquête. Vous vous souvenez que nous avions parlé de la voiture, la Twingo ? Je peux déjà parler avec quelqu'un pour la revendre ?

— Ecoutez, docteur, faisons comme ça, la voiture je la fais conduire moi-même chez un carrossier qui a notre confiance ; les dégâts, c'est nous qui les avons faits, et c'est nous qui les payons. Si vous voulez, je peux charger notre carrossier de vous trouver un acheteur.

— Vous êtes une personne exquise, commissaire.

— Dites-moi, par curiosité : qu'allez-vous faire de la villa ?

— Elle aussi, je vais la mettre en vente.

— Nicolò, je suis. Ce qu'il fallait démontrer.

— Explique-toi mieux.

— J'ai été convoqué par le juge Tommaseo, pour aujourd'hui, à quatre heures de l'après-midi.

— Et qu'est-ce qu'il veut de toi ?

— Toi, tu manques pas d'air ! Non mais, tu me fourres dans ce guêpier et puis soudain, tu manques d'imagination ? Il va m'accuser d'avoir tu à la police de précieux témoignages. Et si ensuite il apprend qu'un des deux témoins, je sais même pas qui c'est, alors, ça va chauffer, il serait capable de me foutre en taule.

— Tiens-moi au courant.

— Bien sûr ! Comme ça, une fois par semaine, tu viens me trouver avec des oranges et des cigarettes.

— Ecoute, Galluzzo, j'aurais besoin de voir ton beau-frère, le journaliste de Televigàta.

— Je le préviens tout de suite, commissaire.

Il allait sortir du bureau, mais la curiosité l'emporta.

— Mais si c'est quelque chose que moi je peux savoir...

— Gallù, non seulement tu le peux, mais tu dois le savoir. J'ai besoin que ton beau-frère collabore avec nous pour l'histoire Licalzi. Etant donné que nous ne pouvons pas agir à la lumière du soleil, nous devons nous appuyer sur l'aide que les télévisions privées peuvent nous apporter, en faisant comme si elles intervenaient de leur propre initiative, je me suis fait comprendre ?

— A la perfection.

— Tu penses que ton beau-frère est disposé à nous aider ?

Galuzzo éclata de rire.

— *Dottore*, mais lui, si vous lui demandez de dire à la télévision que la lune est faite de ricotta, il le dit. Vous le savez qu'il est mort d'envie ?

— Pour qui ?

— Pour Nicolò Zito, *dottore*. Il dit que vous, Zito, vous avez un faible pour lui.

— C'est vrai. A hier, Zito m'a rendu un service et je l'ai mis dans la merde.

— Et maintenant, vous voulez faire pareil avec mon beau-frère ?

— S'il s'en ressent.

— Dites-moi ce que vous désirez, il n'y a pas de problèmes.

— Alors, dis-lui toi, ce qu'il doit faire. Voilà,

prends ça. C'est une photographie de Michela Licalzi.

— Puutain, qu'est-ce qu'elle était belle !

— A la rédaction, ton beau-frère doit avoir une photo de Maurizio Di Blasi, il me semble l'avoir vue quand ils ont donné la nouvelle qu'il avait été tué. Dans le journal de une heure, et aussi dans celui de ce soir, ton beau-frère doit faire apparaître les deux photos côte à côte, dans le même cadrage. Il doit dire que, comme il y a un blanc entre cinq heures et sept heures et demie de mercredi soir, quand elle a été vue en train d'entrer avec un homme dans sa villa, ton beau-frère voudrait savoir si quelqu'un est en mesure de fournir des nouvelles des déplacements de Michela Licalzi durant ces heures-là. Mieux : si, dans ce laps de temps, ils l'ont vue, et où, en compagnie de Maurizio. C'est clair ?

— Très clair.

— Toi, à partir de cet instant, tu bivouaques à Televigàta.

— Ce qui signifie ?

— Ce qui signifie que tu restes là, comme si tu étais un rédacteur. Dès que quelqu'un se manifeste pour donner une info, tu te la fais passer, tu lui parles. Et puis tu nous avises.

— Salvo ? Ici, Nicolò Zito. Je suis contraint de te déranger de nouveau.

— Du neuf ? Ils t'ont envoyé les carabiniers ?

A l'évidence, Nicolò n'avait aucune envie de galéger.

— Tu peux venir immédiatement à la rédaction ?

Montalbano fut très étonné de voir dans le bureau de Nicolò Maître Orazio Guttadauro, pénaliste controversé, défenseur de tous les mafieux de la province et même hors de province.

— C'est pas beau, ça, le commissaire Montalbano ! s'exclama l'avocat dès qu'il le vit entrer.

Nicolò semblait un peu mal à l'aise. Le commissaire lui lança un regard interrogateur : pourquoi l'avoir appelé en prisence de Guttadauro ? Zito répondit à voix haute :

— Maître Guttadauro est ce monsieur qui a téléphoné hier, celui qui était allé à la chasse.

— Ah, fit le commissaire.

Avec Guttadauro, moins on parlait, mieux on se portait, c'était pas le genre d'homme avec qui rompre le pain.

— Les paroles que l'éminent journaliste ici présent, commença l'avocat sur le même ton qu'il prenait au tribunal, a utilisées à la télévision pour me définir m'ont fait sentir une vermine !

— Oh, mon Dieu, qu'ai-je dit ? s'enquit Nicolò, préoccupé.

— Vous avez utilisé, très exactement, ces expressions : chasseur inconnu et interlocuteur anonyme.

— Oui, mais qu'y a-t-il de blessant ? Il y a bien le Soldat inconnu...

— ... et l'Anonyme vénitien, ajouta Montalbano qui commençait à se régaler.

— Comment ?! Comment ?! continua l'avocat comme s'il ne les avait pas entendus. Orazio Guttadauro, accusé implicitement de couardise ? Je n'ai pas supporté, et me voilà.

— Mais pourquoi êtes-vous venu chez nous ?

Votre devoir était de vous rendre à Montelusa chez le *dottor* Panzacchi et de lui dire…

— Vous galéjez, jeunes gens ? Panzacchi était à vingt mètres de moi et il a raconté une histoire complètement différente ! Vous le savez combien de fois mes clients, des personnes intègres, se sont retrouvés impliqués et accusés par les paroles mensongères d'un policier ou d'un carabinier ? Des centaines !

— Ecoutez, maître, en quoi votre version des faits diffère-t-elle de celle du *dottor* Panzacchi ? demanda Zito qui ne tenait plus de curiosité.

— Sur un détail, très cher.

— Lequel ?

— Que le jeune Di Blasi était désarmé.

— Eh non ! Je n'y crois pas. Vous voulez soutenir que ceux de la Criminelle ont tiré de sang-froid, pour le seul plaisir de tuer un homme ?

— J'ai simplement dit que Di Blasi était désarmé, mais les autres l'ont cru armé, il avait quelque chose à la main. Ce fut une affreuse méprise.

— Qu'avait-il en main ?

La voix de Nicolò Zito s'était faite aiguë.

— Une de ses chaussures, mon ami.

Tandis que le journaliste s'écroulait sur une chaise, l'avocat poursuivit.

— J'ai considéré de mon devoir de porter le fait à la connaissance de l'opinion publique. Je pense que c'est mon plus haut devoir civique.

Et là, Montalbano comprit le jeu de Guttadauro. Ce n'était pas un meurtre de mafia et donc, en témoignant, il ne nuisait à aucun de ses clients ; il jouait le rôle du citoyen exemplaire et en même temps mettait la police en accusation.

— A lui, je l'avais vu aussi la veille, dit l'avocat.

— A qui ? demandèrent ensemble Zito et Montalbano qui s'étaient perdus dans leurs pensées.

— Au jeune Di Blasi, non ? C'est une zone où on chasse bien. Je le vis de loin, je n'avais pas les jumelles. Il boitait. Puis il entra dans la grotte, s'assit au soleil et commença à manger.

— Un moment, dit Zito. Il me semble comprendre que vous affirmez que le jeune homme était caché là et non chez lui ? Sa maison n'était qu'à quelques pas !

— Que voulez-vous que je vous dise, très cher Zito ? La veille aussi, encore, que j'étais passé devant la maison des Di Blasi, je vis que le portail était fermé avec un cadenas gros comme un coffre. Je suis certain que lui, à la maison, il ne s'est jamais caché, peut-être pour ne pas compromettre la famille.

Montalbano se convainquit de deux choses : l'avocat était également prêt à démentir le chef de la Criminelle sur le refuge du jeune, et donc l'incrimination de son père tomberait, avec de graves conséquences pour Panzacchi. Quant au second point qu'il avait compris, il voulut d'abord en avoir confirmation.

— Vous pouvez me dire une chose, par curiosité, maître ?

— A votre disposition, commissaire.

— Vous allez tous les jours à la chasse, vous n'y êtes jamais, au tribunal ?

Guttadauro lui sourit, Montalbano lui rendit son

sourire. Très probablement, l'avocat n'était jamais allé à la chasse de sa vie. Ceux qui avaient vu et l'avaient mis en avant devaient être des amis de ceux que Guttadauro appelait ses clients : le but était de faire naître un scandale à la Questure de Montelusa. Il fallait jouer en finesse, il ne lui plaisait pas de les avoir comme alliés.

— Maître Guttadauro t'a dit de m'appeler ? demanda le commissaire à Nicolò.

— Oui.

Ils savaient donc tout. Ils étaient au courant du fait qu'il avait subi un tort, ils l'imaginaient décidé à se venger, ils étaient prêts à l'utiliser.

— Maître, vous saurez certainement que je ne suis pas chargé de l'enquête qui, du reste, doit être considérée comme close.

— Oui, mais…

— Il n'y a pas de mais, maître. Si vous voulez vraiment faire votre devoir de citoyen, allez voir le juge Tommaseo et racontez-lui votre version des faits. Bonjour.

Il lui tourna le dos, sortit. Nicolò lui courut derrière, l'agrippa par un bras.

— Tu le savais ! Tu la connaissais, l'histoire de la chaussure ! Voilà pourquoi tu m'as dit de demander à Panzacchi quelle était l'arme !

— Oui, Nicolò, je le savais. Mais je te conseille de ne pas t'en servir dans ton journal, il n'y a pas de preuve que ça se soit passé comme le raconte Guttadauro, même si c'est très probablement la vérité. Vas-y doucement.

— Mais tu me dis toi-même que c'est la vérité !

— Essaie de comprendre, Nicolò. Je suis prêt à

parier que l'avocat ne sait même pas où se trouve cette putain de grotte où était planqué Maurizio. Lui, c'est une marionnette dont la mafia tire les fils. Ses amis ont su quelque chose et ont décidé que ça les arrangerait de s'en servir. Ils jettent un filet à la mer et espèrent que Panzacchi va se retrouver dedans, avec le Questeur et le juge Tommaseo. Un beau tremblement de terre. Mais pour tirer le filet dans la barque, il faut un homme fort, c'est-à-dire moi, aveuglé selon eux par la soif de vengeance. Tu saisis ?

— Oui. Comment je dois faire avec l'avocat ?

— Répète-lui la même chose que moi. Qu'il aille chez le juge. Tu verras qu'il refusera. Mais ce qu'a dit Guttadauro, c'est toi qui le répétera, mot pour mot, à Tommaseo. Si c'est pas un couillon, et c'en est pas un, il comprendra que lui aussi est en danger.

— Mais lui, il n'est pas concerné par le meurtre de Di Blasi.

— Mais il a signé les accusations contre son père l'ingénieur. Et eux, ils sont prêts à témoigner que Maurizio ne s'est jamais planqué chez lui à Raffadali. Tommaseo, s'il veut sauver sa peau, doit désarmer Guttadauro et ses amis.

— Et comment ?

— Qu'est-ce que j'en sais ?

Comme il se trouvait à Montelusa, il se dirigea vers la Questure, en espérant ne pas rencontrer Panzacchi. Il descendit en courant dans le souterrain où était logée la Scientifique, entra directement dans le bureau du chef.

— Bonjour, Arquà.

— Bonjour, dit l'autre, glacial comme un iceberg. Puis-je vous être utile ?

— Je passais dans le coin et je me suis demandé, par curiosité…

— Je suis très occupé.

— Je ne le mets pas en doute, mais je vous vole une minute. Je désirais quelques informations sur la grenade que Di Blasi tenta de lancer contre les agents.

Arquà ne bougea pas un muscle.

— Je ne suis pas tenu de répondre.

Etait-il possible d'avoir tant de contrôle de soi ?

— Allez, collègue, j'ai juste besoin de trois données : la couleur, la pointure et la marque.

Arquà parut sincèrement abasourdi. Dans ses yeux apparut clairement la question de savoir si Montalbano n'était pas devenu fou.

— Que diable racontez-vous ?

— Je vais vous aider, moi. Noire ? Marron ? Quarante-trois ? Quarante-quatre ? Mocassin ? Superga ? Varese ?

— Calmez-vous, dit Arquà sans qu'il en fût besoin mais en suivant la règle selon laquelle les fous, il faut les faire rester sages. Venez avec moi.

Montalbano le suivit, ils entrèrent dans une pièce où se trouvait une grande table blanche en demi-lune avec trois hommes en blanc qui s'y affairaient.

— Caruana, dit Arquà à un des trois hommes. Fais voir au collègue Montalbano la grenade.

Et tandis qu'il ouvrait une armoire de fer, Arquà continua.

— Vous allez la voir démontée, mais quand on

nous l'a apportée, elle était dangereusement opérationnelle.

Il prit le sachet de Cellophane que Caruana lui tendait, le montra au commissaire.

— Une vieille OTO en dotation à notre armée dans les années 40.

Montalbano ne réussissait pas à parler, il fixait sur la grenade le regard du propriétaire d'un vase Ming qui vient de tomber à terre.

— Vous avez relevé des empreintes digitales ?

— Beaucoup étaient confuses, mais deux de celles du jeune Di Blasi apparaissaient très claires, le pouce et l'index de la main droite.

Arquà posa le sachet sur la table, mit une main sur l'épaule du commissaire, le poussa dans le couloir.

— Vous devez m'excuser, c'est entièrement ma faute. Je n'imaginais pas que le Questeur vous retirerait l'enquête.

Il attribuait ce qu'il considérait comme un obscurcissement momentané des facultés mentales de Montalbano au choc de la destitution. Un brave petit gars, au fond, le *dottor* Arquà.

Le chef de la Scientifique avait été indubitablement sincère, songea Montalbano tandis qu'il descendait vers Vigàta, il ne pouvait pas être un acteur aussi extraordinaire. Mais comment fait-on pour lancer une grenade avec seulement le pouce et l'index ? Au mieux, ce qui peut t'arriver, en la lançant comme ça, c'est de t'exploser les roustons. Arquà aurait dû trouver aussi l'empreinte d'une bonne partie de la paume de la main droite. S'il en était ainsi, comment se faisait-il que ceux de la Criminelle avaient exécuté l'opération consistant à prendre deux doigts de Maurizio déjà mort pour les presser avec force sur la grenade ? A peine la question formulée, il fit demi-tour et retourna à Montelusa.

12

— Qu'est-ce que vous voulez ? lui demanda Pasquano dès qu'il le vit entrer dans son bureau.

— Je dois faire appel à notre amitié, attaqua Montalbano.

— Amitié ? Nous deux, nous sommes amis ? Nous dînons ensemble ? Nous nous faisons des confidences ?

Le Dr Pasquano était ainsi fait et le commissaire ne se sentit en aucune façon ébranlé par les paroles que l'autre lui avait rétorquées. Il fallait seulement trouver la bonne formule.

— Ben, si ce n'est pas de l'amitié, c'est de l'estime.

— Ça oui, admit Pasquano.

Il avait mis dans le mille. Maintenant, ça roulait tout seul.

— Docteur, quelles autres vérifications devez-vous encore faire sur Michela ? Il y a du neuf ?

— Du neuf ? Moi, j'ai fait savoir depuis un

moment au juge et au Questeur que, pour ce qui me concernait, je pouvais remettre le cadavre au mari.

— Ah oui ? Parce que, vous voyez, c'est justement le mari qui m'a dit qu'on lui avait téléphoné de la Questure pour lui communiquer que l'enterrement ne pourrait avoir lieu que vendredi matin.

— C'est leurs oignons.

— Pardonnez-moi, docteur, si j'abuse de votre patience. Tout est normal dans le corps de Maurizio Di Blasi ?

— En quel sens ?

— Ben, comment il est mort ?

— Quelle question idiote. Une rafale de mitraillette, il s'en est fallu de peu qu'ils le taillent en deux, ils en faisaient un buste à mettre sur une colonne.

— Le pied droit ?

Le Dr Pasquano ferma à demi les yeux, qu'il avait petits.

— Pourquoi vous venez m'interroger justement sur le pied droit ?

— Parce que le gauche, je pense pas le trouver intéressant.

— Eh oui. Il s'était fait mal, une entorse ou quelque chose de ce genre, il ne pouvait plus remettre sa chaussure. Mais il s'était fait mal quelques jours avant sa mort. Il avait le visage tuméfié sous l'effet d'un coup.

Montalbano sursauta.

— Il avait été frappé ?

— Je ne sais pas. Soit on lui a donné un grand coup de bâton dans le visage, soit il a été battu. Mais ce n'est pas les agents qui ont fait ça. La contusion remontait elle aussi à quelques jours plus tôt.

— Au moment où il s'était fait mal au pied ?

— Vers ce moment, je crois.

Montalbano se leva, tendit la main au médecin.

— Je vous remercie et je vous dérange plus. Une dernière chose. Vous, on vous a averti tout de suite ?

— De quoi ?

— Du fait qu'ils avaient tiré sur Di Blasi.

Le Dr Pasquano plissa tellement ses petits yeux qu'il parut s'être endormi d'un coup. Il ne répondit pas tout de suite.

— Ces choses, vous vous les rêvez la nuit ? Ce sont les *ciàurle*, les corbeaux, qui vous les disent ? Vous parlez avec les esprits ? Non, au jeune ils lui ont tiré dessus à sept heures du matin. A moi, ils m'ont prévenu d'y aller vers les dix heures. Ils m'ont dit qu'ils ont voulu d'abord mener à terme la perquisition de la maison.

— Une dernière question.

— Vous, avec vos dernières questions, vous allez me tenir la jambe toute la nuit.

— Après qu'ils vous ont consigné le cadavre de Di Blasi, quelqu'un de la Criminelle vous a demandé la permission de l'examiner seul ?

Le Dr Pasquano s'étonna.

— Non. Pourquoi aurait-il dû faire ça ?

Il revint à Retelibera, où il devait mettre Nicolò Zito au courant des développements. Il était certain que Maître Guttadauro était déjà reparti.

— Pourquoi es-tu revenu ?

— Je te le dis après, Nicolò. Comment ça s'est passé avec l'avocat ?

— J'ai fait comme tu m'as dit. Il m'a répondu

qu'il y penserait. Mais ensuite, il a ajouté une chose curieuse, qui n'avait pas de rapport. Ou du moins, qui avait l'air, va savoir, avec ces gens. « Heureux que vous êtes, vous qui vivez au milieu des images ! Au jour d'aujourd'hui, c'est l'image qui compte, pas la parole. » Voilà ce qu'il m'a dit. Qu'est-ce que ça signifie ?

— Je ne sais pas. Attention, Nicolò, que la grenade, ils l'ont.

— Oh mon Dieu ! Alors, ce qu'a raconté Gutta-dauro est faux !

— Non, c'est vrai. Panzacchi est malin, il s'est couvert avec beaucoup d'habileté. La Scientifique est en train d'examiner une grenade que lui a fournie Panzacchi, sur laquelle il y a les empreintes de Di Blasi.

— Seigneur, quel bordel ! Panzacchi s'est bien mis à l'abri ! Et moi, qu'est-ce que je lui raconte, à Tommaseo ?

— Tout comme on s'était mis d'accord. Sauf que tu ne dois pas te montrer trop sceptique sur l'existence de la grenade. Compris ?

Pour aller de Montelusa à Vigàta, il y avait aussi une route de campagne abandonnée qui plaisait beaucoup au commissaire. Il la prit et, arrivé à la hauteur d'un petit pont enjambant un torrent qui n'était plus torrent depuis des siècles, mais éboulement de pierres et de cailloux, il arrêta la voiture, descendit, s'enfonça vers un maquis au centre duquel surgissait un gigantesque olivier sarrasin, de ceux qui se tordent et se convulsent et rampent à terre comme des serpents avant de s'élever vers le

ciel. Il s'assit sur une branche, s'alluma une cigarette, commença à raisonner sur les événements de
la matinée.

— Mimì, entre, ferme la porte et assieds-toi. Tu
dois me donner quelques informations.

— J'écoute.

— Si moi, j'opère la saisie d'une arme, je sais
pas, un revolver, une mitraillette, qu'est-ce que
j'en fais ?

— Tu la donnes, en général, à celui qui se trouve
le plus près de toi.

— Ce matin, on s'est réveillé avec le sens de
l'humour ?

— Tu veux savoir les règles à ce sujet ? Les
armes saisies sont immédiatement remises au
bureau ad hoc de la Questure de Montelusa, où
elles sont enregistrées et puis mises sous clé dans
un petit dépôt qui se trouve à l'opposé des bureaux
de la Scientifique, dans le cas spécifique de
Montelusa. Ça te suffit ?

— Oui. Mimì, je tente une reconstitution. Si je
dis des conneries, coupe-moi. Donc, Panzacchi et
ses hommes perquisitionnent la maison de campagne de l'ingénieur Di Blasi. Note que le portail
principal est fermé au cadenas.

— Comment tu le sais ?

— Mimì, ne profite pas de la permission que je
t'ai donnée. Un cadenas, c'est pas une connerie. Je
le sais et c'est tout. Mais ils pensent que c'est peut-
être une feinte, que l'ingénieur, après avoir fourni
son fils en vivres, l'a enfermé à l'intérieur pour
faire croire que la maison est inhabitée. Il viendra

le libérer quand sera passé le *scamarzo*, le bordel du moment. Tout d'un coup, un des hommes aperçoit Maurizio qui se dirige vers le refuge où il se tapit. Ils cernent la grotte, Maurizio en sort avec quelque chose à la main, un agent plus nerveux que les autres pense qu'il s'agit d'une arme, tire et le tue. Quand ils s'aperçoivent que le pauvre type tenait à la main la chaussure droite qu'il ne pouvait plus porter parce qu'il avait le pied cassé…

— Comment tu le sais ?

— Mimì, il faut que t'arrêtes ou je te raconte plus l'histoire. Quand ils s'aperçoivent que c'était une chaussure, ils comprennent qu'ils sont dans la merde jusqu'au cou. La brillante opération d'Ernesto Panzacchi et de sa sale petite bande risque de finir *a feto*, de puer très fort. Pense que je t'y pense, le seul moyen est de soutenir que Maurizio était vraiment armé. D'accord. Mais de quoi ? Et là, le chef de la Criminelle a un coup de génie : une grenade.

— Pourquoi pas un pistolet, que c'est plus facile ?

— Tu n'es pas à la hauteur de Panzacchi, Mimì, résigne-toi. Le chef de la Criminelle sait que l'ingénieur Di Blasi n'a pas de port d'arme. Mais un souvenir de la guerre, à force de l'avoir sous le nez tous les jours, on ne le considère plus comme une arme. Ou alors, on le met au grenier et on l'oublie.

— Je peux parler ? En 40, l'ingénieur Di Blasi devait avoir plus ou moins cinq ans et la guerre, il la faisait avec un pistolet à bouchon.

— Et son père, Mimì ? Son oncle ? Son cousin ? Son grand-père ? Son arrière-grand-père ? Son…

— Bon, bon.

— Le problème est où trouver une grenade qui soit un surplus de guerre.

— Au dépôt de la Questure, dit calmement Mimì Augello.

— Tout à fait exact. Et l'horaire coïncide, parce que le Dr Pasquano a été appelé quatre heures après la mort de Maurizio.

— Comment tu le sais ? Bon, excuse-moi.

— Tu le connais, le responsable du dépôt ?

— Oui. Et toi aussi : Nenè Lofàro. Pendant un certain temps, il a été de service chez nous.

— Lofàro ? Si je m'en souviens bien, pas le genre à qui on peut dire « donne-moi la clé que je dois prendre une grenade ».

— Il faut voir comment ça s'est passé.

— Va voir toi, à Montelusa. Moi, je peux pas y aller, je suis dans le collimateur.

— D'accord. Ah, Salvo, je pourrais avoir un jour de liberté, demain ?

— T'as une radasse en vue ?

— C'est pas une radasse, c'est une amie.

— Mais tu peux pas passer la soirée avec elle, après que t'as fini ici ?

— Je sais qu'elle repart demain après-midi.

— Etrangère, hein ? Bon, tous mes vœux. Mais d'abord, tu dois dépatouiller cette histoire de grenade.

— Sois tranquille. Aujourd'hui, après déjeuner, je vais à la Questure.

Il avait envie de rester un peu avec Anna mais, passé le pont, il fila tout droit chez lui.

Dans la boîte aux lettres, il trouva une grosse

enveloppe, le facteur l'avait pliée en deux pour la faire entrer. Il n'y avait aucune mention d'expéditeur. A Montalbano était venu le pétit, il ouvrit le frigo : poulpes à la Luciana et une simple sauce de tomates fraîches. Manifestement, Adelina, la bonne n'avait pas eu le temps ou l'envie. En attendant que l'eau des spaghetti bouille, il prit l'enveloppe. A l'intérieur, se trouvait le catalogue en couleurs de la *Eroservice* : des vidéocassettes porno pour tous les goûts et dégoûts. Il le déchira, le jeta à la poubelle. Il mangea, alla aux toilettes. Il y entra et en ressortit en courant, le pantalon déboutonné, on aurait dit une séquence d'un comique muet de Larry Semon. Comment avait-il fait pour ne pas y penser avant ? Il fallait pour ça qu'il reçoive le catalogue de vidéocassettes porno ? Il trouva le numéro dans l'annuaire de Montelusa.

— Allô, Maître Guttadauro ? Le commissaire Montalbano, je suis. Qu'est-ce que vous faisiez, vous mangiez ? Oui ? Excusez-moi.

— Je vous écoute, commissaire.

— Un ami, vous savez comment ça se passe, on bavardait à bâtons rompus et il m'a dit, comme ça, que vous aviez une belle collection de vidéocassettes que vous avez tournées vous-même durant vos parties de chasse.

Très longue pause. La coucourde de l'avocat devait besogner vertigineusement.

— Exact, c'est.

— Vous seriez disposé à m'en faire voir ?

— Vous savez, je suis très attaché à ma collection. Mais nous pourrions nous mettre d'accord.

— C'était ce que je voulais vous entendre dire.

Ils se saluèrent comme de grands copains. Ce qui s'était passé semblait clair. Les amis de Guttadauro, certainement ils étaient plus d'un, assistent par hasard au meurtre de Maurizio. Puis, quand ils voient un agent partir à toute vitesse en voiture, ils se rendent compte que Panzacchi a manigancé un système de défense pour se sauver la face et la carrière. Alors, un des amis court se procurer une caméra. Et revient à temps pour enregistrer la scène des agents en train de plaquer les empreintes digitales du mort sur la grenade. A présent, les amis de Guttadauro sont eux aussi en possession d'un explosif, même s'il est d'un genre différent, et ils l'activent. Une vilaine et dangereuse situation, de laquelle il fallait absolument se sortir.

— Ingénieur Di Blasi ? Le commissaire Montalbano, je suis. J'aurais un besoin urgent de vous parler.

— Pourquoi ?

— Parce que je doute beaucoup de la culpabilité de votre fils.

— De toute façon, il n'est plus.

— Oui, vous avez raison. Mais sa mémoire…

— Faites ce que vous voulez.

Résigné. Un mort qui respirait et qui parlait.

— Dans une demi-heure au maximum, je serai chez vous.

Il fut ébahi en voyant que la porte lui était ouverte par Anna.

— Parle à voix basse. Mme Di Blasi dort enfin.

— Qu'est-ce que tu fais là ?

— C'est toi qui m'y as mise. Après, je n'ai plus eu le courage de la laisser seule.

— Comment, seule ? Ils n'ont même pas appelé une infirmière ?

— Oui, bien sûr. Mais elle, elle veut que je sois là. Maintenant, entre.

Le salon était encore plus dans le noir que la fois où le commissaire avait été reçu par Mme Di Blasi. Montalbano sentit son cœur se déchirer quand il vit Aurelio Di Blasi écroulé de travers sur le fauteuil. Il gardait les yeux fermés, mais avait senti la présence du commissaire car il parla.

— Que voulez-vous ? demanda-t-il de cette terrible voix morte.

Montalbano lui expliqua ce qu'il voulait. Il parla une demi-heure d'affilée et peu à peu vit l'ingénieur se redresser, ouvrir les yeux, le fixer, l'écouter avec intérêt. Il comprit qu'il était en train de gagner.

— Les clés de la villa, ils les ont à la Criminelle ?

— Oui, dit l'ingénieur d'une voix différente, plus forte. Mais moi, j'en avais fait un troisième jeu, Maurizio les gardait dans le tiroir de sa table de nuit. Je vais les prendre.

Il ne parvint pas à se relever seul de son fauteuil, le commissaire dut l'aider.

Il arriva au commissariat sur les chapeaux de roues.

— Fazio, Gallo, Giallombardo, avec moi.

— On prend la voiture de service ?

— Non, allons-y avec la mienne. Mimì Augello est rentré ?

170

Il n'était pas rentré. Il partit à toute vitesse, Fazio ne l'avait jamais vu rouler si vite. Il s'inquiéta, il n'avait guère confiance en Montalbano comme pilote.

— Vous voulez que je conduise ? demanda Gallo qui, à l'évidence, nourrissait les mêmes préoccupations.

— Me cassez pas les burnes. Nous avons peu de temps.

De Vigàta à Raffadali, il lui fallut une vingtaine de minutes. Il sortit du village, emprunta une route de campagne. L'ingénieur lui avait bien expliqué comment arriver à la maison. Tous la reconnurent, ils l'avaient vue et revue à la télévision.

— Maintenant, on entre, j'ai les clés, dit Montalbano, et on perquisitionne à fond. Nous avons encore quelques heures de lumière, il faut en profiter. Ce que nous cherchons, il faut le trouver avant la nuit, parce que nous ne pouvons allumer de lampes électriques, on pourrait voir la lumière du dehors. C'est clair ?

— Très clair, dit Fazio. Mais qu'est-ce qu'on est venus chercher ?

Le commissaire le leur dit et ajouta :

— J'espère que mon idée est fausse, je l'espère sincèrement.

— Mais on va laisser des empreintes, on n'a pas emporté de gants.

— Rien à foutre.

Malheureusement, en fait, il ne s'était pas trompé. Au bout d'une heure qu'ils cherchaient, il s'entendit appeler par la voix triomphante de Gallo qui examinait la cuisine. Ils accoururent. Gallo descendait d'un siège avec un étui de cuir à la main.

— Il était sur ce buffet.

Le commissaire l'ouvrit : à l'intérieur se trouvaient une grenade comme celle qu'il avait vue à la Scientifique et un pistolet, du modèle sans doute autrefois en dotation aux officiers allemands.

— D'où venez-vous ? Qu'est-ce qu'il y a dans cet étui ? demanda Mimì, qui était curieux comme un chat.

— Et toi, qu'est-ce que tu me racontes ?

— Lofàro a pris un mois de congé maladie. Depuis quinze jours, il a été remplacé par un certain Culicchia.

— Moi, je le connais bien, dit Giallombardo.

— Quel genre c'est ?

— Le genre qui n'aime pas rester assis derrière un bureau à tenir des registres. Il donnerait son âme au diable pour retourner sur le terrain, il veut faire carrière.

— Il l'a déjà donnée, son âme, observa Montalbano.

— Je peux savoir ce qu'y a dedans ? demanda Mimì, toujours plus curieux.

— Des dragées, Mimì. Maintenant, écoutez-moi bien. A quelle heure Culicchia cesse son service ? A huit heures, il me semble.

— C'est ça, confirma Fazio.

— Toi, Fazio, et toi, Giallombardo, quand Culicchia sort de la Questure, vous le convainquez de monter dans ma voiture. Vous ne le mettez au courant de rien. Dès qu'il est assis entre vous, vous lui montrez l'étui. Lui, il ne l'a jamais vu et donc il va vous demander ce que signifie cette comédie.

— Alors, quoi, on peut savoir ce qu'y a dedans ? demanda encore Augello, mais personne ne lui répondit.

— Pourquoi est-ce qu'il ne le connaît pas ?

La question était venue de Gallo. Le commissaire le regarda de travers.

— Comment vous faites pour ne pas raisonner ? Maurizio Di Blasi était un arriéré et une personne convenable, il n'avait certainement pas des amis qui puissent lui fournir des armes tambour battant. Le seul endroit où il peut avoir trouvé la grenade est dans sa maison de campagne. Mais il faut la preuve qu'il l'a prise là. Alors Panzacchi, qui est un personnage habile, ordonne à son agent d'aller à Montelusa récupérer deux grenades et un pistolet de l'époque de la guerre. L'une des deux, il dit qu'elle était dans la main de Maurizio, l'autre, en même temps que le pistolet, il l'emmène, il se procure un étui, retourne en tapinois dans la maison de Raffadali et cache le tout à l'endroit où on va aller chercher pour commencer.

— C'est ça qu'il y a dans l'étui ! s'exclama Mimì en se tapant le front.

— En somme, ce grand cornard de Panzacchi a créé une situation très plausible. Et si quelqu'un lui demande comment il se fait que les autres armes n'ont pas été trouvées durant la première perquisition, il pourra soutenir qu'il a été interrompu quand Maurizio avait été surpris pendant qu'il se cachait.

— Quel fils de radasse ! s'indigna Fazio. Non seulement il tue le jeune, même si c'est pas lui qui a tiré, il est le chef et c'est sous sa responsabilité, mais en plus il tente d'anéantir un pauvre vieux pour sauver sa peau !

— Revenons à ce que vous devez faire. Faites mijoter Culicchia à petit feu. Dites-lui que l'étui a été trouvé dans la maison des Raffadali. Puis faites-lui voir la grenade et le pistolet. Après vous lui demandez, comme par curiosité, si toutes les armes saisies sont enregistrées. Et à la fin, vous le faites descendre de la voiture en emportant les armes et l'étui.

— C'est tout ?

— C'est tout, Fazio. Le coup suivant, c'est à lui de le jouer.

13

— *Dottore* ? Il y a Galluzzo au tiliphone. Il veut vous parler pirsonnellement en pirsonne. Qu'est-ce que je fais, *dottore* ? Je vous le passe ?

C'était indubitablement Catarella qui assurait le service de l'après-midi, mais pourquoi, à deux reprises, l'avait-il appelé *dottore* et non *dottori* ?

— C'est bon, passe-le-moi. Je t'écoute, Galluzzo.

— Commissaire, à Televigàta, il y a un type qui a téléphoné après qu'on a diffusé ensemble les photos de Mme Licalzi et de Di Blasi, comme vous l'aviez voulu. Ce monsieur est très sûr d'avoir vu la dame avec un homme vers onze heures et demie du soir, mais l'homme n'était pas Maurizio Di Blasi. Il dit comme ça qu'ils se sont arrêtés à son bar qui est avant d'arriver à Montelusa.

— Il est certain de les avoir remarqués mercredi soir ?

— Tout à fait certain. Il m'a expliqué que de lundi à mardi, il n'a pas été au bar parce qu'il était

175

dehors et que le jeudi, c'est jour de fermeture. Il a laissé son nom et son adresse. Qu'est-ce que je fais, je rentre ?

— Non, reste là jusqu'après le journal de huit heures. Peut-être que quelqu'un d'autre se manifestera.

La porte s'ouvrit à la volée, battit contre le mur et le commissaire sursauta.

— Vous permettassez ? demanda Catarella, souriant.

Pas de doute, Catarella avait un rapport problématique avec les portes. Devant ce visage d'innocent, Montalbano contint l'accès d'énervement qui l'avait saisi.

— Viens là, qu'est-ce qu'il y a ?

— On a apporté juste maintenant ce paquet et cette lettre pour vous pirsonnellement en pirsonne.

— Comment va le cours d'informemathique ?

— Bien, *dottore*. Mais on dit informatique, *dottore*.

Montalbano le suivit d'un regard ébahi tandis qu'il sortait. Ils étaient en train de le lui corrompre, son Catarella.

A l'intérieur de l'enveloppe, il y avait quelques lignes écrites à la machine et non signées :

« CECI N'EST QUE LA DERNIÈRE PARTIE. J'ESPÈRE QU'ELLE SERA À VOTRE GOÛT. SI LA VIDÉO ENTIÈRE VOUS INTÉRESSE, APPELEZ-MOI QUAND VOUS VOULEZ. »

Sa voiture, c'est Fazio et Giallombardo qui l'avaient, il appela donc Gallo pour qu'il l'accompagne avec la voiture de service.

— Où allons-nous ?

— A Montelusa, à la rédaction de Retelibera. Et ne fonce pas, hein, attention, recommençons pas comme jeudi dernier.

Gallo fit les brègues.

— Bèh, pour une fois que ça m'est arrivé, vous vous mettez à déparler, dès que vous montez en voiture !

Ils firent le trajet en silence.

— Je vous attends ? demanda Gallo quand ils arrivèrent.

— Oui, ça ne sera pas long.

Nicolò Zitò le fit entrer dans son bureau, il avait les nerfs.

— Comment ça s'est passé, avec Tommaseo ?

— Comment tu veux que ça se passe ? Il m'a solennellement remonté les bretelles, un savon à y laisser la peau. Il voulait les noms des témoins.

— Et toi, qu'est-ce que t'as dit ?

— J'ai fait appel au Cinquième Amendement.

— Allez, ne joue pas au crétin, en Italie, on l'a pas.

— Heureusement ! Parce que ceux qui, en Amérique, ont fait appel au Cinquième Amendement, ils se sont fait baiser pareil.

— Dis-moi comment il a réagi quand il a entendu le nom de Guttadauro, ça a dû être quelque chose.

— Il a écarquillé les yeux, il m'a paru inquiet. En tout cas, il m'a donné un avertissement formel.

La prochaine fois, il me flanque en taule sans rémission.

— C'est ça qui m'intéressait.

— Qu'il me flanque en taule sans rémission ?

— Mais non, couillon. Qu'il sache que Maître Guttadauro et ceux qu'il représente sont dans le coup.

— Qu'est-ce qu'il va faire, Tommaseo, selon toi ?

— Il va en parler au Questeur. Il aura compris que lui aussi est pris dans le filet et il va essayer d'en sortir. Ecoute, Nicolò, j'aurais besoin de visionner cette cassette.

Il la lui tendit, Nicolò la prit, l'inséra dans le magnétoscope. Apparut un plan général qui montrait quelques hommes à la campagne, on ne distinguait pas les visages. Deux personnes en chemise blanche étaient en train de placer un corps sur une civière. En surimpression, dans la partie inférieure, se découpait une inscription inéquivoque : MONDAY 14.4.97. Celui qui filmait zooma, maintenant on voyait Panzacchi et le Dr Pasquano qui parlaient. Le son n'était pas perceptible. Les deux hommes se serrèrent la main et le médecin sortit du champ. L'image s'élargit de manière à comprendre les six agents de la Criminelle qui se tenaient autour de leur chef. Panzacchi leur dit quelques mots, tous sortirent du champ. Fin de l'émission.

— Merde ! dit à mi-voix Zito.

— Fais-moi une copie.

— Je ne peux pas la faire ici, il faut que j'aille en régie.

— Oui, mais gaffe : ne la montre à personne.

Dans le tiroir de Nicolò, il prit une feuille et une enveloppe sans en-tête, se mit à la machine à écrire.

« J'AI VISIONNÉ L'ÉCHANTILLON. ÇA NE M'INTÉRESSE PAS. FAITES-EN CE QUE VOUS VOULEZ. MAIS JE VOUS EN CONSEILLE LA DESTRUCTION OU UN USAGE TRÈS PRIVÉ. »

Il ne signa pas, n'écrivit pas l'adresse qu'il avait trouvée dans l'annuaire.

Zito revint, lui donna deux cassettes.

— Celle-ci est l'originale et celle-ci la copie. Elle est moyenne, comme qualité, tu sais, faire une copie de copie…

— Je suis pas dans la compétition à la Mostra de Venise. Donne-moi une grande enveloppe de papier kraft.

Il se glissa la copie dans la poche ; la lettre et l'original, il les mit dans l'enveloppe. Sur celle-ci non plus, il n'écrivit pas d'adresse.

Dans la voiture, Gallo lisait la *Gazzetta dello sport*.

— Tu le sais, où est la via Xerri ? Au numéro 18, il y a le cabinet de Maître Guttadauro. Laisse-lui cette enveloppe et reviens me prendre.

Fazio et Giallombardo se pointèrent au commissariat qu'il était bien neuf heures.

— Ah, commissaire ! Ça a été une farce et aussi une tragédie ! s'exclama Fazio.

— Qu'est-ce qu'il a dit ?

— D'abord il a parlé, et après non, dit Giallombardo.

— Quand nous lui avons montré l'étui, il ne comprenait pas. Il disait : c'est quoi ça, une galéjade, une galéjade ? Dès que Giallombardo lui a fait savoir que l'étui, on l'avait retrouvé à Raffadali, il a commencé à se décomposer du visage, il adevenait toujours plus jaunâtre.

— Après, à la vue des armes, intervint Giallombardo qui voulait placer ses répliques, il s'est trouvé mal, on a eu la trouille qu'il lui vienne une attaque dans la voiture.

— Y tremblait, on aurait dit la fièvre tierce. Puis il se leva d'un coup, m'enjamba et s'enfuit en courant, raconta Fazio.

— Il courait comme un lièvre blessé, il mettait ses pas tantôt ici et tantôt là, conclut Giallombardo.

— Et maintenant ? demanda Fazio.

— Nous avons canonné, maintenant, attendons l'écho. Merci pour tout.

— A votre service, dit sèchement Fazio et il ajouta : Où on le met, l'étui ? Dans le coffre-fort ?

— Oui, dit Montalbano.

Dans son bureau, Fazio avait un coffre-fort assez grand, il ne servait pas à ranger des documents, mais à garder les armes et la drogue saisies, avant leur transport à Montelusa.

La fatigue le prit en traître, ses quarante-six ans l'attendaient au prochain tournant. Il avertit Catarella qu'il rentrait chez lui, qu'on y passe les éventuels coups de fil. Après le pont, il s'arrêta, descendit, s'approcha de la villa d'Anna. Et s'il y avait quelqu'un avec elle ? Il tenta le coup.

Anna vint l'accueillir.

— Entre, entre.

— Il y a quelqu'un ?

— Personne.

Elle le fit asseoir sur le divan devant la télévision, en baissa le volume, sortit de la pièce, revint avec deux verres, un de whisky pour le commissaire, un autre de vin blanc pour elle.

— Tu as mangé ?

— Non, dit Anna.

— Tu manges jamais ?

— Je l'ai fait à midi.

Anna s'assit à ses côtés.

— Ne te mets pas trop près, que je sens que je pue, dit Montalbano.

— Tu as eu un après-midi fatigant ?

— Plutôt.

Anna allongea un bras sur le dossier, Montalbano renversa la tête en arrière, appuya la nuque sur la peau de la jeune femme. Il ferma les yeux. Par chance, il avait posé le verre sur la table basse car, d'un coup, il s'engloutit dans le sommeil, comme si le whisky avait été drogué. Une demi-heure plus tard, il se réveilla en sursaut, jeta un regard autour de lui, comprit, fut pris de vergogne.

— Je te demande pardon.

— Heureusement que tu t'es réveillé, je commençais à avoir des fourmis dans le bras.

Le commissaire se leva.

— Je dois y aller.

— Je t'accompagne.

Sur le seuil, avec naturel, Anna posa légèrement ses lèvres sur celles de Montalbano.

— Repose-toi bien, Salvo.

Il prit une très longue douche, changea de linge et de costume, appela Livia. Le téléphone sonna longtemps, puis la communication s'interrompit automatiquement. Qu'est-ce qu'elle fabriquait, cette sainte femme ? Elle macérait dans la douleur pour ce qui était en train de se passer avec François ? Il était trop tard pour téléphoner à son amie et avoir des nouvelles. Il s'assit sous la véranda et, au bout d'un moment, arriva à la décision que s'il ne contactait pas Livia dans les quarante-huit heures à venir, il envoyait tout le monde et tout le reste se faire foutre, prenait un avion pour Gênes et restait avec elle au moins une journée.

La sonnerie du téléphone le fit accourir de la véranda, il était sûr que c'était Livia, enfin.

— Allô ? Je parle avec le commissaire Montalbano ?

Il avait déjà entendu cette voix, mais ne se rappelait pas à qui elle appartenait.

— Oui, qui est à l'appareil ?

— Je suis Ernesto Panzacchi.

L'écho était arrivé.

— Je t'écoute.

Ils se tutoyaient ou se vouvoyaient ? Mais à ce point, cela n'avait plus d'importance.

— Je voudrais te parler. En personne. Je viens chez toi ?

Il n'avait pas envie de voir Panzacchi chez lui.

— Je viens, moi. Tu habites où ?

— A l'hôtel Pirandello.

— J'arrive.

La chambre que Panzacchi occupait à l'hôtel était vaste comme un salon. Il y avait, outre un grand lit à deux places et une armoire, deux fauteuils, une grande table portant un téléviseur et un magnétoscope, le mini-bar.

— Ma famille n'a pas encore pu déménager.

« Et tant mieux s'ils s'épargnent la fatigue du déménagement et du redéménagement », pensa le commissaire.

— Excuse-moi, mais je dois aller pisser.

— T'en fais pas, il y a personne aux chiottes.

— Mais je dois vraiment pisser.

Un serpent comme Panzacchi, il valait mieux ne pas s'y fier. Quand il revint des toilettes, Panzacchi l'invita à s'asseoir dans un fauteuil. Le chef de la Criminelle était un homme trapu mais élégant, aux yeux très clairs, avec des moustaches à la tartare.

— Tu veux boire quelque chose ?

— Rien.

— On entre tout de suite dans le vif du sujet ?

— Comme tu veux.

— Donc, ce soir est venu me trouver un agent, un certain Culicchia, je ne sais pas si tu le connais.

— En personne, non, de nom, oui.

— Il était littéralement terrorisé. Deux hommes de ton commissariat l'ont menacé.

— C'est ce qu'il t'a dit ?

— Je crois l'avoir compris.

— Tu as mal compris.

— Alors, dis-moi, toi.

— Ecoute, il est tard et je suis fatigué. Je suis allé à la maison de Raffadali des Di Blasi, j'ai cherché et je n'ai pas mis longtemps à trouver l'étui contenant la grenade et un pistolet. Maintenant, je les garde dans mon coffre-fort.

— Mais bon Dieu ! Tu n'étais pas autorisé ! s'exclama Panzacchi en se levant.

— Tu fais fausse route, dit calmement Montalbano.

— Tu es en train de dissimuler des preuves !

— Je t'ai dit que tu te trompes de route. Si on cause d'autorisations, de hiérarchies, moi je me lève, je m'en vais et je te laisse dans la merde. Parce que tu y es, dans la merde.

Panzacchi hésita un instant, soupesa le pour et le contre, s'assit. Il avait essayé, le premier round avait mal tourné pour lui.

— Et tu devrais aussi me remercier, continua le commissaire.

— De quoi ?

— D'avoir fait disparaître l'étui de la maison. Il devait servir à démontrer que Maurizio Di Blasi avait pris là la grenade, pas vrai ? Sauf que ceux de la Scientifique n'y auraient pas trouvé les empreintes de Di Blasi même à prix d'or. Et toi, comment tu l'expliquais, ce fait ? Tu aurais dit que Maurizio avait des gants ? Tu imagines, ce qu'on aurait rigolé !

Panzacchi ne dit rien, ses yeux très clairs rivés sur ceux du commissaire.

— Je continue, moi ? La faute initiale, ou plutôt non, tes fautes, je m'en contrefous, l'erreur initiale, tu l'as faite quand tu as donné la chasse à Maurizio Di Blasi sans avoir la certitude qu'il était coupable. Mais tu voulais mener à tout prix ta « brillante » opération. Puis il est arrivé ce qui est arrivé, et toi,

184

tu as certainement poussé un soupir de soulagement. En feignant de sauver un de tes agents qui
avait pris une chaussure pour une arme, tu as combiné l'histoire de la bombe et, pour la rendre plus
crédible, tu es allé placer l'étui chez Di Blasi.

— Ce ne sont que des bavardages. Si tu vas
raconter ça au Questeur, tu peux être sûr qu'il ne te
croira pas. Tu fais circuler des ragots pour me salir,
pour te venger du fait que les investigations t'ont
été retirées et m'ont été confiées.

— Et avec Culicchia, comment tu t'en sors ?

— Demain matin, il entre à la Criminelle, dans
mon équipe. Je paie le prix qu'il a demandé.

— Et si moi, je porte les armes au juge Tommaseo ?

— Culicchia dira que c'est toi qui lui as
demandé la clé du dépôt, l'autre jour. Il est prêt à le
jurer. Essaie de comprendre : il doit se défendre. Et
moi je lui ai suggéré comment faire.

— Alors, j'aurais perdu ?

— On dirait.

— Il marche, ton magnétoscope ?

— Oui.

— Tu veux mettre cette cassette ?

Il l'avait tirée de sa poche, il la lui tendit.
Panzacchi ne posa pas de question, il s'exécuta.
Les images apparurent, le chef de la Criminelle les
regarda jusqu'à la fin puis il rembobina le film,
retira la cassette, la restitua à Montalbano. Il s'assit, alluma un demi-cigare toscan.

— Ce n'est que la partie finale, le film entier, je
l'ai moi, dans le même coffre-fort que les armes,
mentit Montalbano.

— Comment as-tu fait ?

— Ce n'est pas moi qui l'ai enregistré. Il y avait, dans les parages, deux personnes qui ont vu et filmé. Des amis de l'avocat Guttadauro que tu connais bien.

— Ça, c'est un sale imprévu.

— Beaucoup plus sale que tu peux le penser. Tu te retrouves coincé entre eux et moi.

— Si tu permets, leurs raisons, je les comprends très bien, les tiennes ne me sont pas si claires, si tu n'es pas mû par des sentiments de vengeance.

— Maintenant, essaie de me comprendre : moi, je ne peux permettre, je ne peux pas, que le chef de la Criminelle soit otage de la Mafia, qu'elle puisse le faire chanter.

— Tu sais, Montalbano, j'ai vraiment voulu protéger la bonne renommée de mes hommes. Imagine ce qui serait arrivé si la presse avait découvert que nous avions tué un homme qui se défendait avec une chaussure ?

— Et pour ça, tu as impliqué l'ingénieur Di Blasi qui n'avait aucun rapport avec cette histoire ?

— Dans l'histoire, non. Dans mon plan, oui. Et quant à des chantages possibles, je sais me défendre.

— Je le crois. Toi, tu résistes, même si c'est dur, mais combien de temps résisteront Culicchia et les six autres qui seront mis chaque jour sur le gril ? Il suffit qu'un seul craque et l'affaire vient au grand jour. Je te soumets une autre très probable hypothèse : lassés de tes refus, ceux-là, ils sont capables de prendre le film et de le projeter publiquement ou de l'envoyer à une télévision privée qui fera son scoop même s'ils risquent la prison. Et en ce dernier cas, le Questeur aussi saute.

— Qu'est-ce que je dois faire ?

Un instant, Montalbano l'admira : Panzacchi était un joueur impitoyable et sans scrupules, mais quand il perdait, il savait perdre.

— Tu dois prévenir le coup, décharger l'arme qu'ils ont en main. (Et il ne put retenir une méchanceté dont il se repentit aussitôt.) Cette arme-là, c'est pas une chaussure. Parles-en cette nuit avec le Questeur. Trouvez ensemble une solution. Mais attention : si d'ici demain midi je ne vous ai pas vu bouger, je bougerai à ma façon.

Il se leva, ouvrit la porte, sortit.

« Je bougerai à ma façon » : belle phrase, menaçante juste ce qu'il faut. Mais concrètement, qu'est-ce que ça signifiait ? Si, mettons, le chef de la Criminelle réussissait à mettre de son côté le Questeur et eux deux, à leur tour, à se gagner le juge Tommaseo, il était baisé jusqu'à l'os. Mais était-il pensable qu'à Montelusa, tout le monde soit devenu malhonnête ? Une chose est l'antipathie que peut inspirer une personne, une autre est son caractère, son intégrité.

Il arriva à Marinella plein de doutes et de questions. Est-ce qu'il avait bien agi en parlant de cette manière à Panzacchi ? Le Questeur se convaincrait-il qu'il n'était pas mû par le désir de revanche ? Il composa le numéro de Livia. Comme d'habitude, personne ne répondit. Il alla se coucher, mais mit deux heures à fermer l'œil.

14

Il entra au bureau si visiblement énervé que ses hommes, d'une manière ou d'une autre, se tinrent à l'écart. « Le lit est une grande chose, qui ne dort pas se repose », assurait le proverbe mais il était erroné parce que le commissaire, dans son lit, non content de n'avoir dormi que par petits bouts, s'était levé crevé comme s'il avait couru le marathon.

Seul Fazio, qui de tous était celui qui se sentait le plus à l'aise avec lui, se hasarda à lui poser une question :

— Il y a du neuf ?

— Je pourrai te le dire à midi.

Galluzzo s'aprésenta.

— Commissaire, à hier soir, j'ai remué ciel et terre pour vous trouver.

— Et dans la mer, t'as cherché ?

Galluzzo comprit que c'était pas le jour à se perdre en préambules.

— Commissaire, après le journal de huit heures, un type a téléphoné. Il dit que mercredi vers huit heures, huit heures et quart maximum, Mme Licalzi s'est arrêtée à sa station-service pour faire le plein. Il a laissé son nom et son adresse.

— C'est bon, on y fera un saut tout à l'heure.

Il était tendu, il ne réussissait pas à poser un œil sur un papier, il regardait sans arrêt sa montre. Et si midi passait sans que personne de la Questure ne se manifeste ?

A onze heures et demie, le téléphone sonna.

— *Dottore*, dit Grasso, il y a le journaliste Zito.

— Je lui parle.

Sur le moment, il ne comprit pas ce qui se passait.

— Badaboum, badaboum, badaboum, boum boum baboum, faisait Zito.

— Nicolò ?

— *Fratelli d'Italia, l'Italia s'è desta...*

Zito avait entonné à gorge déployée l'hymne national.

— Allez, Nicolò, que j'ai pas envie de déconner.

— Et qui déconne ? Je te lis un communiqué qui m'est arrivé voilà quelques minutes. Carre-toi bien le cul dans ton fauteuil. Pour ton information, il nous a été envoyé, à Tclevigàta et à cinq correspondants de journaux. Je lis : « QUESTURE DE MONTE-LUSA. LE *DOTTOR* ERNESTO PANZACCHI, POUR MOTIFS STRICTEMENT PERSONNELS, A DEMANDÉ À ÊTRE LIBÉRÉ DE LA CHARGE DE CHEF DE LA BRIGADE CRIMINELLE ET À ÊTRE MIS EN DISPONIBILITÉ. SA DEMANDE A ÉTÉ ACCEPTÉE. LE *DOTTOR* ANSELMO IRRERA ASSUMERA TEMPORAI-REMENT LA CHARGE LAISSÉE VACANTE PAR LE *DOTTOR* PANZACCHI. ÉTANT DONNÉ QUE DANS LE COURS DE L'EN-QUÊTE SUR LE MEURTRE DE MME LICALZI SONT APPARUS

189

DES DÉVELOPPEMENTS INATTENDUS, LE *DOTTOR* SALVO MONTALBANO, DU COMMISSARIAT DE VIGÀTA, ASSURERA LA SUITE DE L'ENQUÊTE. SIGNÉ : BONETTI-ALDERIGHI, QUESTEUR DE MONTELUSA. » On a gagné, Salvo !

Il remercia son ami, raccrocha. Il ne se sentait pas content, la tension avait disparu, certes, la réponse qu'il voulait, il l'avait eue, mais il éprouvait un embarras, un intense malaise. Il maudit sincèrement Panzacchi, non pas tant pour ce qu'il avait fait que pour l'avoir contraint à agir d'une manière qui maintenant lui pesait.

La porte s'ouvrit à la volée, tous ses hommes firent irruption.

— *Dottore !* dit Galluzzo, mon beau-frère de Televigàta m'a téléphoné à l'instant. Il est arrivé un communiqué…

— Je sais, je le connais déjà.

— Maintenant, on va aller acheter une bouteile de spumante et…

Giallombardo ne réussit pas à finir sa phrase, il se figea sous le regard de Montalbano. Ils ressortirent tous lentement, en maugréant à voix basse. Quel caractère de merde il avait, ce commissaire !

Le juge Tommaseo n'avait pas le courage de montrer son visage à Montalbano, il faisait semblant de fixer des papiers importants, penché en avant sur son bureau. Le commissaire pinsa qu'à ce moment, le juge désirait avoir une barbe qui lui couvre complètement le visage jusqu'à le faire apparaître comme un abominable homme des neiges, sauf que du yéti, il avait pas la carrure.

— Vous devez comprendre, commissaire. Pour

ce qui concerne le retrait de l'accusation de détention d'armes de guerre, il n'y a pas de problème, j'ai convoqué l'avocat de l'ingénieur Di Blasi. Mais je ne puis aussi facilement faire tomber celle de complicité. Jusqu'à preuve du contraire, Maurizio Di Blasi est coupable avoué du meurtre de Michela Licalzi. Mes prérogatives ne me consentent en aucune manière de...

— Bonne journée, dit Montalbano en se levant et il sortit.

Le juge Tommaseo le poursuivit dans le couloir.

— Commissaire, attendez ! Je voudrais éclaircir...

— Il n'y a vraiment rien à éclaircir, monsieur le Juge. Vous avez parlé avec le Questeur ?

— Oui, longuement, nous nous sommes vus ce matin à onze heures.

— Alors, vous avez certainement connaissance de certains détails pour vous négligeables. Par exemple que l'enquête sur le meurtre Licalzi a été complètement salopée, que le jeune Di Blasi était à quatre-vingt-dix-neuf pour cent innocent, qu'il a été tué comme un chien à cause d'une méprise, que Panzacchi a tout couvert. Il n'y a pas d'échappatoire : vous ne pouvez pas disculper l'ingénieur de l'accusation de détention d'armes et dans le même temps ne pas poursuivre Panzacchi qui a mis ces armes dans la maison.

— Je suis en train d'examiner la situation du *dottor* Panzacchi.

— Bien, examinez-la. Mais en choisissant la bonne balance, parmi toutes celles qui sont dans votre bureau.

Tommaseo fut sur le point de réagir, mais il se ravisa et ne dit rien.

— Par curiosité, dit Montalbano, pourquoi la dépouille de Mme Licalzi n'a-t-elle pas encore été remise à son mari ?

L'embarras du juge s'aggrava, il ferma le poing gauche et y enfila l'index de la main droite.

— Ah, ça, c'était... oui, c'était une idée du *dottor* Panzacchi. Il m'a fait remarquer que l'opinion publique... En somme, d'abord la découverte du cadavre, puis la mort de Di Blasi, ensuite les funérailles de Mme Licalzi, puis celles du jeune Maurizio... vous comprenez ?

— Non.

— Il valait mieux échelonner dans le temps... Ne pas tenir les gens sous pression, en affolant...

Il parlait encore que le commissaire était déjà arrivé à la fin du couloir.

Il sortit du palais de justice de Montelusa qu'il était déjà deux heures. Au lieu de rentrer à Vigàta, il prit la Enna-Palerme, Galluzzo lui avait bien expliqué où se trouvaient aussi bien la station-service que le bar-restaurant, les deux endroits où avait été vue Michela Licalzi. La station-service, située à trois kilomètres à peine de Montelusa, était fermée. Le commissaire jura, il poursuivit sur deux autres kilomètres, vit sur sa gauche une enseigne qui annonçait « BAR-TRATTORIA DU ROUTIER ». Il y avait beaucoup de circulation, le commissaire attendit patiemment que quelqu'un se décide à le laisser se rabattre puis, vu qu'il n'y avait pas moyen, il coupa la route à tout le monde dans un tohu-bohu de coups de freins, de klaxons, de jurons et d'insultes et s'arrêta sur le parking du bar.

Il y avait foule. Le commissaire s'approcha du caissier.

— Je voudrais parler à M. Gerlando Agrò.

— C'est moi. Et vous, qui vous êtes ?

— Le commissaire Montalbano, je suis. Vous avez téléphoné à Televigàta pour dire que...

— Et bordel de merde ! Justement maintenant, vous deviez venir ? Vous la voyez pas, la besogne que j'ai en ce moment ?

Montalbano eut une idée qui, sur le coup, lui parut géniale.

— Comment on mange, ici ?

— Ceux-là qui sont assis, des camionneurs ce sont. Vous avez déjà vu un camionneur se gourer ?

À la fin du repas (l'idée n'avait pas été géniale, mais seulement bonne, la cuisine se confinait à une inébranlable normalité, sans aucune pointe de fantaisie), après le café et l'anis, le caissier, s'étant fait remplacer par un gamin, s'approcha de la table.

— Maintenant, on peut. Je m'assieds ?

— Bien sûr.

Gerlando Agrò se ravisa aussitôt.

— Peut-être qu'il vaut mieux que vous veniez avec moi.

Ils sortirent de la salle.

— Voilà. Mercredi, vers onze heures et demie du soir, j'étais là dehors à fumer une cigarette. Et j'ai vu arriver cette Twingo qui venait de la Enna-Palerme.

— Vous en êtes sûr ?

— La main sur le feu. La voiture s'arrêta juste devant moi et il en sortit la femme qui conduisait.

— Vous pouvez mettre l'autre main sur le feu que c'était celle que vous avez vue à la télévision ?

— Commissaire, avec une femme comme celle-là, la pôvre, on se trompe pas.

— Continuez.

— L'homme, lui, resta dedans la voiture.

— Comment avez-vous fait pour voir qu'il s'agissait d'un homme ?

— Il y avait les phares d'un camion. Je me suis pris d'étonnement ; en général, c'est l'homme qui descend et la femme qui reste à bord. En tout cas, la dame s'est fait faire deux sandwiches au salami, elle a pris aussi une bouteille d'eau minérale. A la caisse, il y avait mon fils Tanino, celui qui y est maintenant. La dame a payé et puis elle est sortie et elle est tombée. Les sandwiches lui ont échappé des mains. Moi, j'ai descendu les marches pour l'aider et je suis venu à me trouver nez à nez avec l'homme qui était descendu de la voiture lui aussi. « C'est rien, c'est rien », a dit la dame. Lui il est retourné à la voiture, elle s'est fait faire deux autres sandwiches, elle a payé et ils sont repartis vers Montelusa.

— Vous avez été très clair, monsieur Agrò. Donc, vous êtes en mesure de soutenir que l'homme vu à la télévision n'était pas le même que celui qui se trouvait dans la voiture avec la dame.

— Absolument. Deux personnes différentes !

— Où gardait-elle son argent, la dame, dans un sac ?

— Oh que non, commissaire. Pas de sac. Elle avait à la main une pochette.

194

Après la tension de la matinée et la bouffe qu'il s'était tapée, la fatigue l'assaillit. Il décida d'aller à Marinella se faire une heure de sommeil. Mais une fois le pont passé, il ne put résister. Il s'arrêta, descendit, sonna à l'interphone. Personne ne répondit. Anna était probablement allée trouver Mme Di Blasi. Et peut-être était-ce mieux ainsi.

De chez lui, il appela le commissariat.

— A cinq heures, je veux la voiture de service avec Galluzzo.

Il composa le numéro de Livia, qui sonna dans le vide. Il fit celui de son amie de Gênes.

— Montalbano, je suis. Ecoute, je commence à m'inquiéter sérieusement. Ça fait des jours que Livia…

— Ne te fais pas de souci. Elle m'a appelée justement tout à l'heure pour me dire qu'elle va bien.

— Mais on peut savoir où elle est ?

— Je ne le sais pas. Ce que je sais, c'est qu'elle a téléphoné à la direction du personnel pour se faire donner un jour de congé supplémentaire.

Comme il raccrochait, le téléphone sonna.

— Commissaire Montalbano ?

— Oui, qui est à l'appareil ?

— Guttadauro. Chapeau, commissaire.

Montalbano raccrocha, se déshabilla, se mit sous la douche et nu comme il l'était, se jeta sur le lit. Il s'endormit d'un coup.

Driiing, driiing, une sonnerie lointaine retentissait à l'intérieur de sa coucourde. Il comprit que c'était la sonnette de la porte. Il se leva tant bien que mal, alla ouvrir. En le voyant nu, Galluzzo fit un bond en arrière.

— Qu'est-ce t'as, Gallù ? T'as la trouille que je t'entraîne à l'intérieur et que je te fasse faire des trucs dégueus ?

— Commissaire, ça fait une demi-heure que je sonne. J'allais défoncer la porte.

— Comme ça, tu m'en payais une neuve. J'arrive.

L'employé de la station-service était un trente-naire aux cheveux très bouclés, des yeux noirs et brillants, au corps ferme et agile. Il portait une combinaison mais le commissaire se l'imagina facilement en slip de bain, sur la plage de Rimini, à faire des ravages chez les Allemandes.

— Vous dites que la dame venait de Montelusa et qu'elle était seule.

— Sûr comme la mort. Vous voyez, j'étais en train de fermer, c'était la fin de mon service. Elle, elle baissa la glace et me demanda si j'y arrivais à faire le plein. « Pour vous, je reste ouvert toute la nuit, si vous me le demandez », je lui ai fait. Elle sortit de la voiture. *Madonnuzza santa*, sainte petite madone, qu'elle était belle !

— Vous vous souvenez comment elle était habillée ?

— Tout en jean.

— Elle avait des bagages ?

— Ce que j'ai vu, c'était une espèce de sac, elle le gardait sur le siège de derrière.

— Continuez.

— Je finis de faire le plein, lui dis combien ça

faisait, elle me paya avec un talbin de cent mille qu'elle avait pris dans une pochette. Pendant que je lui rendais la monnaie, moi j'aime galéjer avec les femmes, je lui demandai : « Il y a autre chose de spécial que je peux faire pour vous ? » Je m'attendais qu'elle me réponde mal. Mais elle, elle m'a souri et elle me dit : « Pour les choses spéciales, j'ai déjà quelqu'un. » Et elle repartit.

— Elle n'est pas repartie en direction de Montelusa, vous en êtes sûr ?

— Très sûr. La pauvrette, quand j'y pense, à la fin qu'elle a eue !

— C'est bon, je vous remercie.

— Ah, une chose, commissaire. Elle était pressée, dès qu'elle a fait le plein, elle s'est mise à foncer. Vous voyez, là ? Il y a une ligne droite. Moi je l'ai matée jusqu'à quand elle a tourné dans le virage au fond. Elle fonçait, et drôlement.

— Je devais rentrer demain, dit Gillo Jàcono, mais comme je suis rentré avant, j'ai estimé de mon devoir de me manifester tout de suite.

C'était un trentenaire distingué, avec une tête sympathique.

— Je vous en remercie.

— Je voulais vous dire que devant un fait de ce genre, on y pense et on y repense.

— Vous voulez modifier ce que vous m'avez dit au téléphone ?

— Absolument pas. Mais, à force de me représenter sans arrêt ce que j'ai vu, je pourrais ajouter un détail. Mais vous, à ce que je vais vous dire,

vous devez commencer par ajouter beaucoup de
« peut-être », par précaution.

— Parlez librement.

— Voilà, l'homme tenait la valise avec aisance,
c'est pour ça que j'ai eu l'impression qu'elle n'était
pas très pleine, de la main gauche. La dame, en
revanche, elle s'appuyait sur son bras droit.

— Ils étaient bras dessus, bras dessous ?

— Pas précisément, elle lui posait une main sur
le bras. Il m'a semblé, je dis bien « semblé », que
la dame boitillait.

— Dr Pasquano ? Montalbano, je suis. Je vous
dérange ?

— J'étais en train de faire une incision en Y à un
cadavre, je crois pas qu'il prendra mal que je m'in-
terrompe quelques minutes.

— Vous avez trouvé sur le corps de Mme Licalzi
un signe quelconque qui pourrait indiquer une
chute de son vivant ?

— Je ne me souviens pas. Je vais voir le rapport.

Il revint avant que le commissaire s'allume une
cigarette.

— Oui. Elle est tombée sur les genoux. Mais
quand elle était habillée. Sur l'excoriation du
genou gauche, il y avait de microscopiques fibres
du jean qu'elle portait.

Il n'y avait pas besoin d'autres vérifications. A
huit heures du soir, Michela Licalzi fait le plein et
prend la direction de l'intérieur des terres. Trois
heures et demie plus tard, elle est sur le chemin du
retour avec un homme. Après minuit, on la voit,

toujours en compagnie d'un homme, certainement le même, tandis qu'elle se dirige vers la villa de Vigàta.

— Salut, Anna. Salvo, je suis. Aujourd'hui, en début d'après-midi, je suis passé chez toi, tu n'y étais pas.

— L'ingénieur Di Blasi m'avait téléphoné, sa femme allait mal.

— J'espère avoir bientôt de bonnes nouvelles pour eux.

Anna ne dit rien. Montalbano comprit avoir dit une bêtise. L'unique nouvelle que les Di Blasi pouvaient juger bonne serait la résurrection de Maurizio.

— Anna, je voulais te dire une chose que j'ai découverte sur Michela.

— Viens ici.

Non, il ne devait pas. Il comprenait que si Anna posait encore une fois les lèvres sur les siennes, ça tournerait forcément mal.

— Je ne peux pas, Anna. J'ai des choses à faire.

Et encore heureux qu'il fût au téléphone, parce que s'il s'était trouvé en sa présence, elle se serait tout de suite rendu compte qu'il lui sortait un boniment.

— Qu'est-ce que tu veux me dire ?

— J'ai établi, avec une faible marge d'erreur, que Michela, mercredi à huit heures du soir, a pris la route Enna-Palerme. Peut-être est-elle allée dans une localité de la province de Montelusa. Réfléchis bien avant de répondre : pour ce que tu en sais, elle avait d'autres connaissances, en dehors de celles qu'elle s'était faites à Montelusa et à Vigàta ?

La réponse ne vint pas tout de suite. Comme le lui demandait le commissaire, Anna y réfléchissait.

— Ecoute, des amis, je l'exclus. Elle me l'aurait dit. Des connaissances, en revanche, oui, quelques-unes.

— Où ça ?

— Par exemple à Aragona et à Comitini qui sont sur la route.

— Quel genre de connaissances ?

— Les carrelages, elle les a achetés à Aragona. A Comitini, elle s'est fournie de quelque chose, je ne me rappelle pas quoi pour l'instant.

— Donc, de simples rapports d'affaires ?

— Je dirais oui, c'est sûr. Mais tu vois, Salvo, de cette route, on peut aller partout. Il y a une bifurcation qui conduit à Raffadali : le chef de la Criminelle aurait pu broder là-dessus.

— Autre chose : après minuit, elle a été vue sur le chemin de la villa, elle venait juste de descendre de voiture. Elle s'appuyait au bras d'un homme.

— Tu es sûr ?

— Je suis sûr.

La pause, cette fois, fut très longue, au point que le commissaire crut la ligne coupée.

— Anna, tu es encore là ?

— Oui. Salvo, je veux te répéter, avec clarté et une fois pour toutes, ce que je t'ai déjà dit. Michela n'était pas le genre de femme à faire des rencontres d'une nuit, elle m'avait avoué en être physique-ment incapable, tu comprends ? Elle aimait beau-coup son mari. Elle était très, très liée à Serravalle. Elle ne peut pas avoir été consentante, quoi qu'en pense le médecin légiste. Elle a été horriblement violée.

— Comment expliques-tu qu'elle n'ait pas averti les Vassallo qu'elle n'allait plus dîner chez eux ? Elle avait un portable, non ?

— Je ne comprends pas où tu veux en venir.

— Je t'explique. Quand Michela, à sept heures et demie du soir, te dit au revoir en assurant qu'elle se rend à l'hôtel, à ce moment, elle te dit absolument la vérité. Puis quelque chose intervient, qui la fait changer d'idée. Ça ne peut être qu'un appel sur le portable, parce que quand elle emprunte la Enna-Palerme, elle est encore seule.

— Tu penses donc qu'elle se rend à un rendez-vous ?

— Il n'y a pas d'autre explication. C'est un fait imprévu, mais elle, cette rencontre, elle ne veut pas la rater. Voilà pourquoi elle n'avertit pas les Vassallo. Elle n'a pas d'excuses plausibles pour justifier son absence, le mieux est de faire perdre sa trace. Eliminons si tu veux la rencontre amoureuse, peut-être est-ce une rencontre de travail qui ensuite s'est tragiquement transformée. Je te le concède pour l'instant. Mais alors, je te demande : qu'y avait-il d'important au point de se rabaisser aux yeux des Vassallo ?

— Je ne sais pas, répondit Anna, navrée.

15

« Que peut-il y avoir de si important ? » se demanda de nouveau le commissaire après avoir dit au revoir à son amie. S'il ne s'agissait ni d'amour, ni de sexe, et de l'avis d'Anna, c'était complètement à exclure, il ne restait plus que l'argent. Durant la construction de la villa, des sous, Michela avait dû en manier, et de belles quantités même. Et si la clé était dissimulée là ? Cela lui apparut tout de suite comme une supposition inconsistante, un fil de toile d'araignée. Mais son devoir était quand même de chercher.

— Anna ? Salvo, je suis.

— Ce que tu avais à faire ne se fait plus ? Tu peux venir ?

Il y avait du contentement et de l'anxiété dans la voix de la fille et le commissaire ne voulut pas qu'y entre ensuite le ton de la déception.

— Il n'est pas dit que je n'y arrive pas.

— A n'importe quelle heure.

— D'accord. Je voulais te demander une chose.

Tu le sais si Michela avait un compte courant à Vigàta ?

— Oui, ça lui était plus commode pour les paiements. Elle était à la Banca Popolare. Mais je ne sais pas combien elle avait.

Trop tard pour faire un saut à la banque. Il avait mis dans un tiroir tous les papiers trouvés dans la chambre du Jolly, il sélectionna les dizaines et dizaines de factures et le carnet d'enregistrement des dépenses, laissant à l'intérieur l'agenda et les autres papiers. Ce serait un travail long, ennuyeux et à quatre-vingt-dix pour cent absolument inutile. Et puis, lui, il ne savait pas s'y prendre, avec les chiffres.

Soigneusement, il examina toutes les factures. Pour le peu qu'il y comprenait, comme ça, à vue de nez, elles ne lui parurent pas gonflées, les prix consignés correspondaient à ceux du marché et même, quelquefois, ils étaient légèrement plus bas, visiblement Michela savait négocier et économiser. Rien, un travail inutile, comme il l'avait pinsé. Puis, par hasard, il remarqua une différence entre les montants d'une facture et la transcription résumée qu'en avait faite Michela dans le carnet : ici, la facture apparaissait augmentée de cinq millions. Se pouvait-il que Michela, toujours si précise et ordonnée, eût commis une erreur si manifeste ? Il recommença du début, avec une patience d'ange. A la fin, il arriva à la conclusion que la différence entre les sommes réellement dépensées et celles consignées sur le carnet s'élevait à cent quinze millions.

L'erreur était donc à exclure, mais s'il n'y avait pas d'erreur, cela n'avait pas de sens, parce que cela signifiait que Michela se taxait elle-même. A moins que…

— Allô, docteur Licalzi ? Le commissaire Montalbano, je suis. Pardonnez-moi si je vous appelle chez vous après une journée de travail.

— Eh oui. Ça a été une dure journée.

— Je souhaiterais savoir quelque chose sur les rapports… c'est-à-dire, je m'explique mieux : vous aviez un compte joint avec vos deux signatures ?

— Commissaire, vous n'avez pas été…

— Ecarté de l'enquête ? Oui, mais ensuite tout est revenu comme avant.

— Non, nous n'avions pas de compte joint. Michela le sien et moi le mien.

— Elle ne disposait pas de revenus propres, n'est-ce pas ?

— Elle n'en avait pas. Nous faisions ainsi : tous les six mois, je transférais une certaine somme de mon compte sur celui de ma femme. S'il y avait des dépenses extraordinaires, elle me le disait et j'y pourvoyais.

— Je vois. Elle vous a jamais fait voir les factures qui concernaient la villa ?

— Non, cela ne m'intéressait pas, du reste. En tout cas, elle notait les dépenses au fur et à mesure sur un carnet. De temps en temps, elle voulait que j'y jette un coup d'œil…

— Docteur, je vous remercie et…

— Vous avez pris les dispositions nécessaires ?

A quoi ? Il ne sut que répondre.

— Pour la Twingo, ajouta le chirurgien.

— Ah, c'est fait.

Au téléphone, il était possible de vendre du

boniment. Ils se dirent au revoir, se donnèrent rendez-vous pour vendredi matin quand aurait lieu la cérémonie funèbre.

Maintenant, tout avait plus de sens. Michela sur-évaluait les sommes qu'elle demandait à son époux pour la construction de la villa.

Une fois les factures détruites (Michela s'en serait certainement occupée si elle était restée en vie), ne seraient plus demeurés, pour faire foi, que les chiffres reportés sur le carnet. Et ainsi, cent quinze millions étaient partis au noir et Mme Licalzi en avait disposé à son gré.

Mais pourquoi avait-elle besoin de cet argent ? On la faisait chanter ? Et si oui, qu'avait-elle à cacher ?

Le lendemain matin, alors qu'il s'apprêtait à prendre sa voiture pour aller au bureau, le téléphone sonna. Un instant, il fut tenté de ne pas répondre, un coup de fil chez lui à cette heure signifiait certaine-ment un appel du commissariat, une *camurrìa,* un emmerdement.

Puis prévalut l'indubitable pouvoir que le télé-phone exerce sur les hommes.

— Salvo ?

Il reconnut immédiatement la voix de Livia, et se sentit des jambes de coton.

— Livia ! Enfin ! Où es-tu ?

— A Montelusa.

Qu'est-ce qu'elle faisait à Montelusa ? Quand était-elle arrivée ?

— Je viens te prendre. Tu es à la gare ?

— Non. Si tu m'attends, d'ici une demi-heure maximum, je suis à Marinella.

— Je t'attends.

Que se passait-il ? Que diable se passait-il ? Il appela le commissariat.

— Ne me passez pas d'appels à la maison.

En une demi-heure, il se descendit quatre tasses de café. Il remit sur le feu la cafetière napolitaine. Puis entendit le bruit d'une auto qui arrivait. Ce devait être le taxi de Livia. Il ouvrit la porte. Ce n'était pas un taxi, mais la voiture de Mimì Augello. Livia descendit, l'auto vira, repartit.

Montalbano commençait à comprendre.

Négligée, dépeignée, avec des poches sous ses yeux gonflés par les larmes. Mais surtout, comment avait-elle fait pour devenir si menue et fragile ? Un moineau déplumé. Montalbano se sentit submergé par la tendresse, l'émotion.

— Viens, dit-il en la prenant par la main.

Il la guida à l'intérieur, la fit asseoir dans la salle à manger. Il la vit frissonner.

— Tu as froid ?

— Oui.

Il alla dans la chambre à coucher, prit sa veste, la lui mit sur les épaules.

— Tu veux un café ?

— Oui.

Le liquide venait juste de passer, il le servit bouillant. Livia se le but comme du café froid.

Maintenant, ils étaient assis sur le banc de la véranda. Livia avait voulu y aller. La journée était d'une sérénité presque feinte, pas de vent, des vagues légères. Livia fixa longtemps la mer en silence puis appuya la tête sur l'épaule de Salvo et commença à pleurer, sans sanglots. Les larmes lui coulaient sur le visage, trempaient la petite table. Montalbano lui prit une main, elle la lui abandonna sans vie. Le commissaire avait un besoin désespéré d'allumer une cigarette, mais il s'abstint.

— J'ai été trouver François, dit soudain Livia.
— Je l'ai compris.
— Je n'ai pas voulu avertir Franca. J'ai pris un avion, un taxi et j'ai débarqué chez eux à l'improviste. Dès que François m'a vue, il s'est jeté dans mes bras. Il était vraiment heureux de me revoir. Et moi j'étais heureuse de le tenir embrassé et furieuse contre Franca et son mari, et surtout contre toi. Je me suis convaincue que tout était comme je le soupçonnais : toi et eux, vous vous étiez mis d'accord pour me l'enlever. Voilà, j'ai commencé à les insulter, à lancer des invectives. Soudain, tandis qu'ils tentaient de me calmer, je me suis rendu compte que François n'était plus à côté de moi. Il m'est venu le soupçon qu'ils me l'avaient caché, enfermé à clé dans une pièce, j'ai commencé à crier. Si fort que tout le monde est arrivé en courant, les enfants de Franca, Aldo, les trois ouvriers. Ils se sont interrogés entre eux, personne n'avait vu François. Inquiets, ils sont sortis de la ferme en l'appelant ; je suis restée seule à pleurer. Tout d'un coup, j'ai entendu une voix : « Livia, je suis là. » C'était lui, il s'était caché quelque part dans la maison, les autres étaient restés à le chercher dehors. Tu vois comment il est ? Malin, très intelligent.

De nouveau, elle fondit en larmes, elle s'était trop longtemps retenue.

— Repose-toi. Etends-toi un instant. Le reste, tu me raconteras après, dit Montalbano qui ne supportait pas la détresse de Livia.

Il se retenait à grand-peine de l'étreindre. Mais il devinait que le geste aurait été une erreur.

— Mais je repars, dit Livia. J'ai l'avion au départ de Palerme à quatorze heures.

— Je t'accompagne.

— Non, je me suis déjà mise d'accord avec Mimì. Dans une heure, il repasse me prendre.

« A la seconde où il se pointe au bureau », pensa le commissaire, « je lui passe un savon qu'il s'en rappelera, ce connard. »

— C'est lui qui m'a convaincue de venir te trouver, je voulais déjà repartir hier.

Maintenant, on allait lui dire qu'il devait aussi le remercier, Mimì ?

— Tu ne voulais pas me voir ?

— Essaie de comprendre, Salvo. J'ai besoin de rester seule, de rassembler mes idées, d'arriver à des conclusions. Pour moi, ça a été terrible.

Au commissaire, lui vint la curiosité de savoir.

— Ben, alors dis-moi ce qui s'est passé après.

Montalbano revit la scène qu'il avait subie quelques jours auparavant.

— Il m'a regardée droit dans les yeux et il a dit : « Moi je t'aime beaucoup, mais je ne quitte plus cette maison, mes frères. » Je suis restée immobile, glacée. Et il a poursuivi : « Si tu m'emmènes loin d'ici, moi je m'échapperai pour du bon et tu ne me reverras plus. » Après, il s'est précipité au-dehors en criant : « Je suis là, je suis là. » J'ai eu une espèce d'étourdissement, et puis je me suis retrouvée étendue sur un lit, avec Franca à mes côtés. Mon Dieu, comme ils savent être cruels, certaines fois, les enfants !

« Et ce que nous voulions lui faire, c'était pas une cruauté ? » se demanda à lui-même Montalbano.

— J'étais très faible, j'ai essayé de me relever mais je me suis évanouie de nouveau. Franca n'a pas voulu me laisser partir, elle a appelé un médecin, elle est restée tout le temps à côté de moi. J'ai dormi chez eux. Dormi ! J'ai été toute la nuit assise sur un siège près de la fenêtre. Le lendemain matin, Mimì est arrivé. Sa sœur l'avait appelé. Mimì a été plus qu'un frère. Il s'est arrangé pour que je ne rencontre plus François, il m'a promenée, m'a fait parcourir la moitié de la Sicile. Il m'a convaincue de venir ici, ne fût-ce que pour une heure. « Vous deux, vous devez vous parler, vous expliquer ! », il disait. Hier au soir, nous sommes arrivés à Montelusa, il m'a accompagnée à l'hôtel della Valle. Ce matin, il est venu me prendre pour me conduire ici, chez toi. Ma valise est dans sa voiture.

— Je ne crois pas qu'il y ait beaucoup à expliquer, dit Montalbano.

L'explication n'aurait été possible que si Livia, ayant compris son erreur, avait eu un mot, un seul, de compréhension pour ses sentiments à lui. Ou bien croyait-elle que lui, Salvo, n'avait rien éprouvé quand il s'était convaincu que François était perdu pour toujours ? Livia ne laissait pas d'espace, elle était refermée sur sa douleur, elle ne voyait rien d'autre que son égoïste désespoir. Et lui ? N'étaient-ils pas, jusqu'à preuve du contraire, un couple bâti sur l'amour, certes, sur le sexe, également mais surtout sur un rapport de compréhension réciproque qui, parfois, avait effleuré la complicité ? Un mot de trop, en cet instant, aurait pu provoquer une fracture irréparable. Montalbano ravala son ressentiment.

— Que penses-tu faire ? demanda-t-il.

— Pour… l'enfant ?

Elle n'arrivait plus à prononcer le prénom de François.

— Oui.

— Je ne m'opposerai pas.

Elle se leva d'un bond, courut vers la mer, en gémissant à mi-voix comme une bête blessée à mort. Puis elle n'en put plus, tomba face contre terre sur la plage. Montalbano la prit dans ses bras, la ramena dans la maison, la posa sur le lit et délicatement, avec une serviette, il lui essuya le sable sur le visage.

Quand il entendit le klaxon de l'auto de Mimì Augello, il aida Livia à se lever, lui remit de l'ordre dans ses vêtements. Elle le laissait faire, absolument passive. Il la prit par la taille, l'accompagna au-dehors. Mimì ne descendit pas de la voiture, il savait qu'il n'était pas prudent de trop s'approcher de son supérieur, il pouvait être mordu. Il garda constamment les yeux rivés devant lui pour ne pas croiser ceux du commissaire. Un instant avant de monter en voiture, Livia tourna légèrement la tête et déposa un baiser sur la joue de Montalbano. Ce dernier rentra, alla dans la salle de bains et, vêtu comme il était, se mit sous la douche, en ouvrant le jet au maximum. Puis il avala deux cachets d'un somnifère qu'il ne prenait jamais, se descendit par-dessus un verre de whisky et se jeta sur le lit, dans l'attente de l'inévitable coup de massue qui allait le sécher.

Il se réveilla qu'il était cinq heures de l'après-midi, il avait quelque peu mal au crâne et la nausée.

— Augello est là ? demanda-t-il en entrant au commissariat.

Mimì entra dans le bureau de Montalbano et prudemment referma la porte derrière lui. Il semblait résigné.

— Mais si tu dois te mettre à gueuler comme t'en as l'habitude, dit-il, il vaut peut-être mieux qu'on sorte.

Le commissaire se leva de son fauteuil, il s'approcha de lui face à face, lui passa un bras derrière le cou.

— Tu es un vrai ami, Mimì. Mais je te conseille de sortir de cette pièce. Si je me ravise, je serais capable de te flanquer des coups de pied au cul.

— *Dottore* ? Il y a Mme Clementina Vasile Cozzo. Je vous la passe ?

— Qui tu es toi ?

Impossible que ce fût Catarella.

— Comment qui je suis ? Moi.

— Et toi, comment tu t'appelles, merde ?

— Catarella, je suis, *dottori* ! Pirsonnellement en pirsonne, je suis !

Ouf ! La foudroyante recherche d'identité avait ramené à la vie le vieux Catarella, pas celui qu'était en train de lui transformer inexorablement l'ordinateur.

— Commissaire ! Et qu'est-ce qui se passe ? On s'est disputés ?

— Madame, croyez-moi, j'ai eu des journées…

— Pardonné, vous êtes pardonné. Vous pourriez passer chez moi ? J'ai une chose à vous faire voir.

— Maintenant ?

— Maintenant.

Mme Clementina le fit entrer dans la salle à manger, éteignit le téléviseur.

— Regardez là. C'est le programme du concert de demain que le Maestro Cataldo Barbera m'a fait porter tout à l'heure.

Il y était écrit au crayon : « Vendredi, neuf heures trente. Concert à la mémoire de Michela Licalzi. »

Montalbano sursauta. Le Maestro Barbera connaissait la victime ?

— C'est pour cela que je vous ai fait venir, dit Mme Vasile Cozzo qui lut la question dans ses yeux.

Le commissaire recommença à lire la feuille.

« Programme : G. Tartini, *Variations sur un thème de Corelli* ; J.-S. Bach, *Largo* ; G.B. Viotti, extrait du Concerto n° 24 en mi mineur. »

Il lui rendit la feuille.

— Vous, madame, vous le saviez qu'ils se connaissaient, tous les deux ?

— Je l'ai toujours ignoré. Et je me demande comment ils auront fait, vu que le Maestro ne sort jamais de chez lui. Dès que j'ai lu la feuille, j'ai compris que cela pouvait vous intéresser.

— Maintenant, je monte à l'étage au-dessus et je lui parle.

— Ce sera juste une perte de temps, il ne va pas vous recevoir. Il est dix-huit heures trente, à cette heure, il s'est déjà mis au lit.

— Et qu'est-ce qu'il fait, il regarde la télévision ?

— Il ne possède pas la télévision et ne lit pas les journaux. Il s'endort et se réveille vers deux heures du matin. Je l'ai demandé, à la bonne, si elle savait pourquoi le Maestro avait des horaires si étranges, elle m'a répondu qu'elle n'y comprenait rien. Mais moi, à force de raisonner, une explication plausible, je me la suis donnée.

— C'est-à-dire ?

— Je crois que le Maestro, en agissant ainsi, efface un laps de temps précis, il annule, saute les heures durant lesquelles, d'habitude, il était occupé à donner un concert. En dormant, il en repousse le souvenir.

— Je comprends. Mais je ne peux éviter de lui parler.

— Vous pourrez essayer demain matin, après le concert.

A l'étage au-dessus, une porte battit.

— Voilà, dit Mme Vasile Cozzo, la bonne est en train de rentrer chez elle.

Le commissaire se dirigea vers la porte d'entrée.

— Vous savez, *dottore*, que plus qu'une bonne, c'est une espèce de gouvernante, lui précisa Mme Clementina.

Montalbano ouvrit la porte. Une sexagénaire, vêtue bien correctement, qui descendait les dernières marches de l'escalier, le salua d'un signe de tête.

— Madame, je suis le commissaire...

— Je vous connais.

— Vous êtes en train de rentrer chez vous et moi je ne veux pas vous faire perdre du temps. Le Maestro et Mme Licalzi se connaissaient ?

— Oui. Depuis quelque chose comme deux mois. La dame, d'elle-même, a voulu se présenter au Maestro. Qui en fut très content, elles lui plaisent, les belles femmes. Ils se sont mis à parler, parler, parler et moi je leur apportai du café, ils se le sont pris et après, ils se sont enfermés dans le bureau, celui que les sons en sortent pas.

— Insonorisé ?

— Oh que si. Comme ça, il ne dérange pas les voisins.

— La dame est revenue d'autres fois ?

— Pas quand j'étais là.

— Et quand est-ce que vous y êtes ?

— Vous ne le voyez pas ? Le soir, je m'en vais, moi.

— Dites-moi, par curiosité. Si le Maestro n'a pas la télévision et ne lit pas les journaux, comment a-t-il su, pour le meurtre ?

— Moi, je le lui dis, par hasard, cet après-midi. Dans les rues, il y avait l'annonce de la cérémonie de demain.

— Et le Maestro, comment a-t-il réagi ?

— Il en resta mal. Il a fallu les pilules pour le cœur, il était tout jaune. Quelle peur, je me pris ! Autre chose ?

16

Ce matin-là, le commissaire se présenta au bureau vêtu d'un complet gris, d'une chemise bleu pâle, d'une cravate de couleur assortie, de chaussures noires.

— T'es beau comme un camion, lui dit Mimì Augello.

Montalbano ne pouvait lui dire qu'il s'était arrangé comme ça parce qu'il avait un concert pour violon seul à neuf heures et demie. Mimì l'aurait pris pour un dingue. Et avec raison, parce que l'histoire sentait un peu l'asile de fous.

— Tu sais, je dois aller à un enterrement, murmura-t-il.

Il entra dans son bureau, le téléphone sonnait.

— Salvo ? C'est Anna. Tout à l'heure, m'a téléphoné Guido Serravalle.

— De Bologne ?

— Non, de Montelusa. Il m'a dit que mon numéro, Michela le lui avait donné voilà quelque temps. Il connaissait notre amitié. Il est venu assister aux funérailles, il est descendu au della Valle. Il m'a demandé si après nous pourrions déjeuner ensemble, il repartira dans l'après-midi. Qu'est-ce que je fais ?

— Dans quel sens ?

— Je ne sais pas, mais je sens que je vais être mal à l'aise.

— Et pourquoi ?

— Commissaire ? Ici, Emanuele Licalzi. Vous venez à l'enterrement ?

— Oui. A quelle heure est-ce ?

— A onze heures. Puis le fourgon part directement de l'église pour Bologne. Il y a du neuf ?

— Rien de remarquable, pour l'instant. Vous vous attardez à Montelusa ?

— Jusqu'à demain matin. Je dois parler avec une agence immobilière pour la vente de la villa. Je vais devoir y aller dans l'après-midi avec un de leurs représentants, ils veulent la visiter. Ah, hier soir, en avion, j'ai voyagé avec Guido Serravalle, il est venu pour l'enterrement.

— Ça a dû être embarrassant, laissa échapper le commissaire.

— Pardon ?

Le Dr Emanuele Licalzi avait rabaissé la visière.

— Dépêchez-vous, il va commencer, dit Mme Clementina en le guidant jusqu'à la petite pièce à côté du salon.

Ils s'assirent avec des airs pénétrés. Pour l'occasion, la vieille dame s'était mise en robe longue. On eût dit un personnage féminin de Boldini, en plus vieilli seulement. A neuf heures et demie pile, le Maestro Barbera attaqua. Et cinq minutes n'étaient pas passées que le commissaire commençait à éprouver une sensation étrange qui le troubla. Il lui sembla soudain que le son du violon était devenu une voix, une voix de femme, qui demandait à être écoutée et comprise. Lentement mais sûrement les notes se transformaient en syllabes, non, plutôt en phonèmes et en même temps, elles exprimaient une espèce de plainte, un chant de peine antique qui par moments pointait vers un ardent mystère tragique. Cette voix féminine pleine d'émotion disait qu'il existait un secret terrible compréhensible seulement à qui savait s'abandonner complètement au son, à la vague du son. Il ferma les yeux, profondément secoué et troublé. Mais à l'intérieur de lui, il était aussi étonné : comment avait fait ce violon pour changer ainsi tellement de timbre depuis la dernière fois qu'il l'avait entendu ? Les yeux toujours clos, il se laissa guider par la voix. Et se vit lui-même entrer dans la villa, traverser le salon, ouvrir la vitrine, prendre en main l'archet du violon… Voilà ce qui l'avait tourmenté, l'élément qui ne collait pas avec l'ensemble ! La lumière très forte qui explosa dans sa tête lui arracha un gémissement.

— Vous aussi, vous êtes ému ? demanda Mme Clementina en s'essuyant une larme. Il n'a jamais joué ainsi.

Le concert devait s'être terminé juste en cet instant, parce que la vieille dame renfonça la prise du téléphone qu'elle avait débranchée, composa le numéro, applaudit.

Cette fois, le commissaire, au lieu de s'unir à elle, prit le combiné en main.

— Maestro ? Le commissaire Montalbano, je suis. J'ai absolument besoin de vous parler.

— Moi aussi.

Montalbano raccrocha et puis, d'un même mouvement, se leva, embrassa Mme Clementina, la baisa au front, sortit.

La porte de l'appartement lui fut ouverte par la bonne-gouvernante.

— Vous le voulez, un café ?

— Non, merci.

Cataldo Barbera vint au-devant de lui, main tendue.

Sur comment il allait le trouver habillé, Montalbano avait pas mal pinsé en montant les deux volées de marches. Il avait mis dans le mille : le Maestro, qui était un petit homme, aux cheveux très blancs, aux petits yeux noirs mais au regard très intense, portait un frac de la meilleure coupe.

La seule chose qui détonnait était une écharpe de soie blanche qui emmitouflait la partie inférieure du visage, dissimulant de fait le nez, la bouche et le menton, et ne laissait découverts que les yeux et le front. Elle était tenue serrée par une broche d'or.

— Je vous en prie, suivez-moi, dit Barbera, très courtois, en le guidant vers le cabinet insonorisé.

A l'intérieur, il y avait une vitrine avec cinq violons ; une installation stéréo compliquée ; des rayonnages métalliques de bureau portant empilés des CD, des disques, des cassettes ; une bibliothèque, deux fauteuils, un bureau. Sur ce dernier était posé un autre violon, à l'évidence celui sur lequel le maître venait d'exécuter le concert.

— Aujourd'hui, j'ai joué avec le Guarnieri, confirma le Maestro en le montrant. Il a une voix sans égale, céleste.

Montalbano se félicita : quoique ne connaissant rien à la musique, il avait pourtant deviné que le son de ce violon était différent de celui qu'il avait entendu lors du précédent concert.

— Pour un violoniste, disposer d'un bijou pareil, c'est, croyez-moi, un authentique miracle.

Il poussa un soupir.

— Malheureusement, je vais devoir le rendre.

— Il n'est pas à vous ?

— Plût au ciel ! Sauf que je ne sais plus à qui le rendre. Aujourd'hui, je me suis promis d'appeler quelqu'un au commissariat pour exposer la question. Mais étant donné que vous êtes là…

— A votre disposition.

— Vous voyez, ce violon appartenait à la pauvre Mme Licalzi.

Le commissaire sentit que tous ses nerfs se tendaient comme les cordes d'un violon, si le Maestro l'effleurait de l'archet, il jouerait sûrement.

— Voici environ deux mois, raconta le Maestro Barbera, j'étais en train de m'exercer fenêtres ouvertes. Mme Licalzi, qui passait par hasard dans la rue, m'entendit. Elle s'y connaissait, en musique, vous savez ? Elle a lu mon nom sur l'interphone et a voulu me voir. Elle avait assisté à mon dernier concert à Milan, après je me suis retiré, mais personne ne le savait encore.

— Pourquoi ?

La question si directe prit le maître par surprise. Il n'hésita qu'un instant puis défit la broche et, lentement, dénoua l'écharpe. Un monstre. Il n'avait plus que la moitié du nez, la lèvre supérieure, complètement corrompue, mettait à découvert la gencive.

— Ça ne vous paraît pas une bonne raison ?

Il s'enveloppa de nouveau dans l'écharpe, la fixa avec la broche.

— C'est un très rare cas de lupus non curable à évolution destructrice. Comment aurais-je pu me présenter à mon public ?

Le commissaire lui fut reconnaissant d'avoir remis tout de suite l'écharpe, il n'était pas regardable, il provoquait peur et nausée.

— Bien, cette belle et gentille créature, en parlant de choses et d'autres, me dit qu'elle avait hérité un violon d'un arrière-grand-père qui faisait le luthier à Crémone. Elle ajouta que quand elle était petite, elle avait entendu dire, en famille, que cet instrument valait une fortune, mais elle n'y avait jamais prêté attention. Dans les familles, il y a souvent de ces légendes de tableaux précieux, de statuettes qui valent des millions. Dieu sait pourquoi, cela éveilla ma curiosité. Quelques jours plus tard, un soir, elle me téléphona, passa me prendre, me conduisit à la villa récemment construite. A l'instant où je vis le violon, croyez-moi, je sentis quelque chose exploser à l'intérieur de moi, j'éprouvai une forte secousse électrique. Il était en assez mauvais état, mais il s'en fallait de peu pour le remettre en parfaite forme. C'était un Andrea Guarnieri, commissaire, très reconnaissable à son vernis couleur jaune d'ambre, d'une extraordinaire force lumineuse.

Le commissaire considéra le violon, sincèrement, il ne lui semblait pas qu'il diffusait de la lumière. Mais lui, pour ces trucs musicaux, il était nul.

— Je l'ai essayé, dit le Maestro, et pendant dix minutes, j'ai joué, transporté au paradis avec Paganini, avec Ole Bull...

— Quel prix a-t-il sur le marché ? demanda le commissaire qui, comme d'habitude, volait à ras de terre : au paradis, il n'y était jamais arrivé.

— Prix ?! Marché ?! s'horrifia le Maestro. Mais un instrument pareil n'a pas de prix !

— Bon, oui, mais si on voulait quantifier...

— Qu'est-ce que j'en sais ? Deux, trois milliards. Il avait bien entendu ? Il avait bien entendu.

— Je fis remarquer à Mme Licalzi qu'elle ne pouvait se risquer à laisser un instrument de cette valeur dans une villa pratiquement inhabitée. Nous avons réfléchi à une solution, parce que je voulais, aussi, une confirmation autorisée de ma supposition, à savoir qu'il s'agissait d'un Andrea Guarnieri. Elle me proposa de le garder ici, chez moi. Moi, pourtant, je ne voulais pas accepter semblable responsabilité mais elle réussit à me convaincre, elle ne voulait même pas un reçu. Elle me raccompagna ici et je lui donnai un violon à moi en remplacement, à mettre dans le vieil étui. Si on l'avait volé, ce n'était pas grave : il valait quelques centaines de milliers de lires. Le lendemain matin, je cherchai à contacter à Milan un de mes amis, qui, dans le domaine des violons, est le plus grand expert existant. Sa secrétaire me dit qu'il était en voyage à travers le monde, qu'il ne rentrerait pas avant la fin de ce mois.

— Excusez-moi, dit le commissaire, je reviens tout de suite.

Il sortit en courant, et courut jusqu'au commissariat.

— Fazio !

— A vos ordres, *dottore* !

Il écrivit un billet, le signa, y mit le tampon du commissariat pour l'authentifier.

— Viens avec moi.

Il prit sa voiture, l'arrêta non loin de l'église.

— Remets ce billet au Dr Licalzi, il doit te donner les clés de la villa. Moi, je peux pas y aller, si j'entre dans l'église et qu'on me voit parler au docteur, tu imagines, les ragots au village ?

Cinq minutes n'étaient pas passées qu'ils étaient déjà repartis vers les Trois Fontaines. Ils descendirent de la voiture, Montalbano ouvrit la porte. Il flottait une mauvaise odeur, étouffante, qui n'était pas seulement due au renfermé mais aussi aux poudres et aux sprays utilisés par la Scientifique.

Toujours suivi de Fazio qui ne posait pas de questions, il ouvrit la vitrine, prit l'archet et le violon, sortit, referma la porte.

— Attends, je veux voir quelque chose.

Il tourna au coin de la maison et gagna l'arrière, il ne l'avait pas fait les autres fois où il s'était trouvé sur les lieux. Il y avait comme une esquisse de ce qui aurait dû devenir un vaste jardin. A droite, presque collé à la construction, surgissait un grand sorbier qui donnait de petits fruits d'un rouge intense, au goût acide, dont Montalbano, quand il était pitchounet, mangeait des quantités.

— Tu devrais monter jusqu'à la branche là-haut.

— Qui ? Moi ?

— Non, ton frère jumeau.

Fazio entama l'escalade à contre-cœur. Il n'était plus si jeune, il avait peur de tomber et de se casser le cou.

— Attends-moi.

— Oh que si. De toute façon, quand j'étais minot, j'aimais Tarzan.

Montalbano rouvrit la porte, monta à l'étage, alluma les lumières dans la chambre à coucher, ici l'odeur prenait à la gorge ; il remonta les stores à enroulement sans ouvrir les fenêtres.

— Tu me vois ? cria-t-il à Fazio.

— Oh que si, parfaitement.

Il sortit de la villa, ferma la porte, se dirigea vers la voiture.

Fazio n'y était pas. Il était resté dans l'arbre, à attendre que le commissaire lui dise ce qu'il devait faire.

Après avoir laissé Fazio devant l'église avec les clés à rendre au Dr Licalzi (« dis-lui que peut-être on en aura encore besoin »), il se dirigea vers la maison du Maestro Cataldo Barbera, grimpa les marches quatre à quatre. Le Maestro vint lui ouvrir, il avait ôté son frac, portait un pantalon et un pull Dolcevita ; en revanche, l'écharpe blanche avec la broche n'avait pas bougé.

— Venez par là, dit Cataldo Barbera.

— C'est inutile, Maestro. Je n'en ai que pour

quelques secondes. Ceci est l'étui qui contenait le Guarnieri ?

Le Maestro le prit en main, le regarda attentivement, le rendit.

— Il me semble bien, oui.

Montalbano ouvrit l'étui et, sans en tirer l'instrument, demanda :

— Et ceci est l'instrument que vous a donné Mme Licalzi ?

Le Maître fit deux pas en arrière, tendit une main en avant comme pour éloigner une horrible vision.

— Mais ça, c'est un objet que je ne toucherais même pas d'un doigt ! Qu'est-ce que vous croyez ! C'est une insulte pour un vrai violon !

Voilà la confirmation de ce que la voix du violon lui avait révélé, ou plutôt qu'elle avait ramené à la surface. Parce qu'il l'avait toujours inconsciemment enregistrée, la différence entre contenant et contenu. Elle était claire aussi pour lui, qui ne comprenait rien aux violons. Ou à n'importe quel autre instrument, en fait.

— Entre autres, poursuivit Cataldo Barbera, celui que moi, j'ai donné à Mme Licalzi était certes de très modeste valeur, mais ressemblait beaucoup au Guarnieri.

— Merci. Au revoir.

Il commença à descendre les escaliers.

— Qu'est-ce que j'en fais du Guarnieri ? lui demanda à voix haute le Maestro encore ébahi, il n'avait rien compris.

— Pour l'instant, gardez-le. Et jouez-en aussi souvent que vous pouvez.

17

La réponse de Guggino lui arriva quelques minutes avant trois heures. Longue et circonstanciée. Montalbano prit consciencieusement des notes. Cinq minutes plus tard, Giallombardo donna signe de vie et l'informa que Serravalle était rentré à l'hôtel.

— Ne bouge pas de là, lui ordonna le commissaire. Si tu le vois sortir de nouveau avant que je ne sois arrivé, arrête-le sous un prétexte quelconque, fais-lui un strip-tease, la danse du ventre, mais ne le laisse pas partir.

Il feuilleta rapidement les papiers de Michela, il se souvenait avoir vu une carte d'embarquement. Elle y était, c'était le dernier voyage Bologne-Palerme qu'elle avait fait. Il le mit dans sa poche et appela Gallo.

— Accompagne-moi au della Valle avec la voiture de service.

L'hôtel était à mi-chemin entre Vigàta et Montelusa, il avait été construit juste devant l'un des plus beaux temples du monde, au mépris des Monuments historiques, des servitudes paysagères et des plans d'occupation des sols.

— Toi, tu m'attends, dit le commissaire à Gallo.

Il s'approcha de sa voiture ; à l'intérieur Giallombardo somnolait.

— Je ne dormais que d'un œil, le rassura l'agent.

Le commissaire ouvrit le coffre, prit l'étui avec le violon à quatre balles.

— Toi, tu retournes au commissariat, ordonna-t-il à Giallombardo.

Il traversa le hall de l'hôtel, il ressemblait comme deux gouttes d'eau à un instrumentiste.

— Le *dottor* Serravalle est là ?

— Oui, il est dans sa chambre. Qui dois-je annoncer ?

— Tu ne dois rien annoncer, tu dois juste la fermer. Le commissaire Montalbano, je suis. Et si tu essaies seulement de décrocher le téléphone, je te fous au trou et après on voit.

— Quatrième étage, chambre 416, dit le concierge, les lèvres tremblotantes.

— Il a reçu des coups de fil ?

— Quand il est rentré, je lui ai donné ses avis d'appel, trois ou quatre.

— Fais-moi parler à la préposée au standard.

La préposée au standard, que Dieu sait pourquoi, le commissaire s'imaginait une jeune et jolie fille, était au contraire un vieux chauve de la soixantaine avec des lunettes.

— Le concierge m'a tout dit. Dès midi, un certain Eolo de Bologne a commencé à téléphoner. Il n'a jamais laissé son nom. Il a rappelé il y a à peine dix minutes et j'ai passé la communication dans la chambre.

Dans l'ascenseur, Montalbano sortit de sa poche les noms de tous ceux qui dans la soirée du mercredi précédent avaient loué une voiture à l'aéroport de Punta Ràisi. D'accord : Guido Serravalle n'y figurait pas, mais Eolo Portinari si. Et il avait su par Guggino que c'était un ami intime de l'antiquaire.

Il frappa tout doucement et, ce faisant, il se rappela que son revolver était dans la boîte à gants de la voiture.

— Entrez, la porte est ouverte.

L'antiquaire était allongé sur le lit, les mains derrière la nuque. Il avait juste enlevé ses chaussures et sa veste, il avait encore la cravate nouée. Il vit le commissaire et bondit sur ses pieds comme ces marionnettes à ressort qui jaillissent dès que s'ouvre le couvercle de la boîte qui les contient.

— Ne vous dérangez pas, dit Montalbano.

— Mais je vous en prie ! dit Serravalle en enfilant précipitamment ses chaussures.

Il mit même sa veste. Montalbano s'était assis sur une chaise, l'étui sur les genoux.

— Je suis prêt. Qu'est-ce qui me vaut l'honneur ?

Il évitait soigneusement de regarder l'étui.

— L'autre jour, au téléphone, vous m'avez dit que vous vous mettiez à ma disposition si j'en avais besoin.

— Certainement, je le répète, dit Serravalle en s'asseyant lui aussi.

— Je vous aurais évité le dérangement, mais étant donné que vous êtes venu pour l'enterrement, je veux en profiter.

— J'en suis heureux. Que dois-je faire ?

— M'écouter.

— Je n'ai pas bien compris, excusez-moi.

— M'écouter. Je veux vous raconter une histoire. Si vous trouvez que j'exagère ou que je me trompe sur certains points, intervenez et corrigez-moi.

— Je ne vois pas comment je pourrais le faire, commissaire. Je ne connais pas l'histoire que vous allez me raconter.

— Vous avez raison. Alors ça veut dire que vous me donnerez vos impressions à la fin. Le héros de mon histoire est un monsieur qui vit plutôt bien, c'est un homme de goût, il possède un magasin renommé de mobilier ancien et a une bonne clientèle. C'est une activité que notre héros a héritée de son père.

— Excusez-moi, dit Serravalle, où se passe votre histoire ?

— A Bologne, dit Montalbano. Et il enchaîna : l'année dernière, à peu près, ce monsieur rencontre une jeune femme de la bonne bourgeoisie. Ils deviennent amants. Leur relation ne court aucun risque, le mari de la dame, pour des raisons qui seraient trop longues à expliquer, ferme non pas un œil, comme on dit, mais les deux. La femme aime toujours son mari, mais elle est très attachée, sexuellement, à son amant.

Il s'interrompit.

— Je peux fumer ? demanda-t-il.

— Mais bien sûr, dit Serravalle en lui approchant un cendrier.

Montalbano sortit le paquet avec lenteur, en tira trois cigarettes, les roula une par une entre le pouce et l'index, opta pour celle qui lui sembla la plus molle ; les deux autres, il les remit dans le paquet et se mit à se palper en quête du briquet.

— Je ne peux hélas pas vous aider, je ne fume pas, dit l'antiquaire.

Le commissaire trouva enfin le briquet dans la pochette de sa veste, il le considéra comme s'il ne l'avait jamais vu avant, alluma sa cigarette et remit le briquet dans sa poche.

Avant de se mettre à parler, il jeta un vague regard sur Serravalle. L'antiquaire avait la lèvre supérieure humide, il commençait à transpirer.

— Où en étais-je ?

— A la femme qui était très attachée à son amant.

— Ah oui. Hélas notre héros a un méchant vice. Il joue gros, aux jeux de hasard. Trois fois au cours de ces trois derniers mois, il a été surpris dans des tripots clandestins. Un jour, vous vous rendez compte, il a fini à l'hôpital, on l'a roué de coups. Lui prétend qu'il a été victime d'une agression pour vol, mais la police suppose, je répète suppose, qu'il s'agissait d'un avertissement pour des dettes de jeu impayées. Quoi qu'il en soit, pour notre héros, qui continue à jouer et à perdre, la situation devient de plus en plus délicate. Il se confie à sa maîtresse et celle-ci tente de l'aider comme elle peut. Elle s'était mise en tête de se faire construire une villa ici car l'endroit lui plaisait. A présent, la villa s'avère une heureuse occasion : en gonflant les frais, elle peut permettre à son ami d'avoir une centaine de millions de lires. Elle projette un jardin, probablement la construction d'une piscine : nouvelles sources d'argent au noir. Mais c'est une goutte d'eau dans le désert, rien que deux ou trois cents millions. Un jour, la femme, que pour les commodités du récit, j'appellerai Michela…

— Un instant, l'interrompit Serravalle avec un petit rire qui se voulait sardonique. Et votre héros, comment s'appelle-t-il ?

— Guido, mettons, dit Montalbano comme si c'était un point négligeable.

Serravalle fit une grimace, la sueur collait à présent sa chemise à sa poitrine.

— Ça ne vous plaît pas ? On peut les appeler Paolo et Francesca, si vous voulez. De toute façon, le fond ne change pas.

Il attendit que Serravalle dise quelque chose, mais comme l'antiquaire n'ouvrait pas la bouche, il reprit.

— Un jour, Michela, à Vigàta, rencontre un célèbre violoniste qui vit retiré ici. Ils sympathisent et la femme révèle au Maestro qu'elle possède un vieux violon hérité de son arrière-grand-père. Par jeu, je crois, Michela le montre au Maestro et celui-ci, au premier coup d'œil, se rend compte qu'il se trouve devant un instrument de très grande valeur, musicale et pécuniaire. Quelque chose qui dépasse les deux milliards de lires. Lorsque Michela revient à Bologne, elle raconte toute l'histoire à son amant. Si c'est bien comme le prétend le Maestro, le violon est très vendable, le mari de Michela ne l'a vu qu'une fois ou deux, tout le monde en ignore la véritable valeur. Il suffira de le remplacer, de mettre dans l'étui un vieux violon quelconque et Guido sera enfin tiré d'ennui pour toujours.

Montalbano cessa de parler, il tambourina des doigts sur l'étui et soupira.

— Maintenant vient le pire, dit-il.

— Eh bien, dit Serravalle, vous pouvez finir de me raconter une autre fois.

— Je pourrais, mais il faudrait que je vous fasse revenir de Bologne ou que je vienne moi, c'est trop peu commode. Etant donné que vous avez la cour-toisie de m'écouter patiemment alors que vous mourez de chaud, je vais vous expliquer pourquoi je considère ce qui vient comme le pire.

— Parce que vous devrez parler d'un assassi-nat ?

Montalbano regarda l'antiquaire bouche bée.

— Pour ça, vous croyez ? Non, les assassinats, j'y suis habitué. Je considère que c'est le pire parce que je dois abandonner les faits concrets et pénétrer dans l'esprit d'un homme, dans ce qu'il pense. Un romancier aurait plus de facilité, mais je ne suis qu'un simple lecteur de ce que je crois être de bons livres. Excusez la digression. A ce moment-là, notre héros recueille des informations sur le Maestro dont lui a parlé Michela. Il découvre ainsi qu'il n'est pas seulement un grand interprète au niveau internatio-nal mais qu'il a aussi une bonne connaissance de l'histoire de l'instrument dont il joue. Enfin, à quatre-vingt-dix-neuf pour cent il sera tombé juste. Il n'y a aucun doute mais le problème, laissé aux soins de Michela, va traîner en longueur. Ce n'est pas tout, elle voudra bien le vendre en cachette, certes, mais légalement : sur ces deux milliards, outre les frais divers, les pourcentages et notre Etat qui tombera dessus comme un voleur de grand chemin pour revendiquer sa part, à la fin il restera moins d'un milliard. En revanche, il y a un raccourci. Et notre héros y pense jour et nuit, il en parle à un de ses amis. L'ami, mettons qu'il s'appelle Eolo...

Ça avait marché, la supposition était devenue certitude. Comme frappé par une balle de revolver de gros calibre, Serravalle s'était brusquement soulevé de sa chaise pour y retomber pesamment. Il desserra son nœud de cravate.

— Oui, appelons-le Eolo. Eolo est d'accord avec notre héros qu'il n'y a qu'un moyen : liquider la femme, prendre le violon et le remplacer par un autre de faible valeur. Serravalle le convainc de lui donner un coup de main. En plus, leur amitié est clandestine, peut-être autour du jeu. Michela n'a jamais vu sa tête. Au jour prévu, ils prennent ensemble le dernier vol qui, de Bologne, trouve à Rome une correspondance pour Palerme. Eolo Portinari...

Serravalle sursauta légèrement, comme lorsqu'on tire une deuxième balle à un moribond.

— ... quel idiot, je lui ai mis un nom ! Eolo Portinari voyage sans bagages ou presque, Guido, au contraire, a une grosse valise. Dans l'avion, ils font semblant de ne pas se connaître. Un peu avant de quitter Rome, Guido téléphone à Michela, il lui dit qu'il arrive, qu'il a besoin d'elle, qu'elle vienne le chercher à l'aéroport de Punta Ràisi, il lui laisse peut-être entendre qu'il fuit des créanciers qui veulent le tuer. Arrivés à Palerme, Guido part pour Vigàta avec Michela tandis qu'Eolo loue une voiture et se dirige lui aussi vers Vigàta, tout en gardant une certaine distance. Je pense que pendant le trajet, notre héros raconte à sa maîtresse que, s'il ne s'était pas échappé de Bologne, il y aurait laissé sa peau. Qu'il avait pensé se cacher quelques jours dans la villa de Michela. Qui aurait pu songer à venir le chercher jusque-là ? La femme accepte, heureuse d'avoir son amant avec elle. Avant d'arriver à Montelusa, elle s'arrête dans un bar, achète deux sandwiches et une bouteille d'eau minérale. Mais elle trébuche sur une marche, elle tombe, Serravalle est vu de face par le propriétaire du bar. Ils arrivent à la villa après minuit. Michela prend aussitôt une douche, elle court dans les bras de son homme. Ils font l'amour une première fois, puis l'amant demande à Michela de le faire d'une manière particulière. Et à la fin de ce second rapport, il lui presse le visage contre le matelas pour l'étouffer. Vous savez pourquoi il a demandé à Michela d'avoir ce type de rapport ? Ils l'avaient certainement déjà fait avant, mais à ce moment-là, il ne voulait pas que sa victime le regarde pendant qu'il la tuait. L'homicide à peine commis, il entend venir de dehors une espèce de plainte, un cri étouffé. Il s'approche et voit, avantagé par la lumière qui sort par la fenêtre, que sur un arbre tout proche se trouve un voyeur, il le prend pour tel, qui a assisté au meurtre. Nu comme il est, notre héros sort en courant, s'arme de quelque chose, frappe au visage l'inconnu qui réussit pourtant à s'échapper. Il n'y a pas une minute à perdre. Il s'habille, ouvre la vitrine, prend le violon qu'il met dans la valise ; toujours de la valise, il tire un violon bon marché et il l'enferme dans l'étui. Quelques minutes après, Eolo passe avec la voiture, notre héros monte dedans. Peu importe ce qu'ils font après, le lendemain ils sont à Punta Ràisi pour prendre le premier vol pour Rome. Jusque-là tout s'est bien passé pour notre héros qui se tient certainement informé des développements en achetant les journaux siciliens. Or si ça se présente bien, ça va se présenter encore mieux quand il apprend que l'assassin a été découvert et qu'avant d'être tué dans un conflit armé, il a trouvé le temps de se prétendre coupable. Le héros comprend qu'il n'est plus nécessaire d'attendre pour mettre clandestinement en vente le violon et il le confie à Eolo Portinari pour qu'il s'occupe de l'affaire. Mais une complication survient : le héros apprend que l'enquête a été rouverte. Il saisit au vol l'occasion de l'enterrement et se précipite à Vigàta pour parler avec l'amie de Michela, la seule qu'il connaisse et qui soit en mesure de lui dire où en sont les choses. Puis il retourne à l'hôtel. Et là arrive un coup de fil d'Eolo : le violon vaut quelques centaines de milliers de lires. Le héros comprend qu'il est foutu, il a tué une personne inutilement.

— Donc, dit Serravalle qui semblait s'être lavé la figure sans se sécher tant il était moite de sueur, votre héros est tombé dans cette marge minimale d'erreur, le un pour cent, qu'il avait concédée au Maestro.

— Quand on est malheureux au jeu... fut le commentaire du commissaire.

— Vous buvez quelque chose ?

— Non, merci.

Serravalle ouvrit le mini-bar, prit trois fioles de whisky, les versa sans glaçons dans un verre et le but en deux gorgées.

— C'est une histoire intéressante, commissaire. Vous m'avez suggéré de faire mes observations à la fin et, si vous le permettez, je vais les faire. Commençons. Votre héros n'aura pas été assez stupide pour voyager sous son vrai nom en avion, n'est-ce pas ?

Montalbano tira à peine de sa poche, mais suffisamment pour que l'autre la voie, la carte d'embarquement.

— Non, commissaire, ça ne sert à rien. En admettant qu'il existe une carte d'embarquement, elle ne signifie rien, même si le nom du héros est dessus, n'importe qui peut s'en servir, on ne demande pas la carte d'identité. Et quant à la rencontre du bar... Vous dites que ça s'est passé le soir et en quelques secondes. Allons, ce serait une identification inconsistante.

— Votre raisonnement tient, dit le commissaire.

— Je continue. Je propose une variante à votre histoire. Le héros confie la découverte que son amie a faite à un certain Eolo Portinari, un délinquant de bas acabit. Et Portinari, venu de sa propre initiative à Vigàta, fait tout ce que vous attribuez à votre héros. Portinari a loué la voiture en exhibant son permis, Portinari a tenté de vendre le violon sur lequel le Maestro avait commis une bourde, c'est Portinari qui a violé la femme pour le faire passer pour un crime passionnel.

— Sans éjaculer ?

— Mais bien sûr ! Par le sperme, on serait facilement remonté à l'ADN.

Montalbano leva deux doigts comme pour demander la permission d'aller aux toilettes.

— Je voudrais dire deux choses sur vos observations. Vous avez parfaitement raison : démontrer la culpabilité du héros sera long et difficile, mais pas impossible. Donc, à compter d'aujourd'hui, le héros aura deux chiens féroces accrochés à ses basques : les créanciers et la police. La deuxième chose est que le Maestro ne s'est pas trompé en estimant le violon, il vaut effectivement des milliards.

— Mais si à l'instant…

Serravalle comprit qu'il était en train de se trahir et se tut aussitôt. Montalbano poursuivit comme s'il n'avait rien entendu.

— Mon héros est très malin. Songez qu'il continue à téléphoner à l'hôtel en cherchant Michela après l'avoir tuée. Mais il ignore un détail.

— Lequel ?

— Ecoutez, l'histoire est tellement incroyable que je suis tenté de ne pas vous la raconter.

— Faites un effort.

— Je ne m'en ressens pas. Bon d'accord, c'est vraiment pour vous faire une faveur… Mon héros a appris par sa maîtresse que le Maestro s'appelle Cataldo Barbera et il a recueilli beaucoup d'informations sur lui. Maintenant, vous allez appeler le standard et vous faire passer le Maestro dont le numéro est sur le bottin. Vous lui parlerez en mon nom, et vous vous faites raconter l'histoire par lui.

Serravalle se leva, il souleva le récepteur, dit au standardiste avec qui il voulait parler. Il resta à l'appareil.

— Allô ? C'est le Maestro Barbera ?

Dès que celui-ci répondit, il raccrocha.

— Je préfère l'entendre de votre bouche.

— Bon d'accord. Michela amène en voiture le Maestro à la villa, un soir tard. Dès que Cataldo Barbera voit le violon, il manque presque défaillir. Il en joue et n'a plus aucun doute, il s'agit d'un Guarnieri. Il en parle à Michela, il lui dit qu'il voudrait le soumettre à l'examen d'un expert incontesté. En même temps, il conseille à Michela de ne pas garder l'instrument dans cette villa rarement habitée. Michela le confie au Maestro qui l'emmène chez lui et en échange lui donne un de ses violons à mettre dans l'étui. Celui que mon héros, l'ignorant, s'empresse de voler. Ah, j'oubliais, mon héros, après avoir assassiné la femme, soustrait même le sac avec les bijoux et la Piaget. Comment dit-on ? Il fait feu de tout bois. Il emporte les vêtements et les chaussures, mais c'est pour encore plus noyer le poisson et tenter d'éviter l'examen d'ADN.

Il s'attendait à tout sauf à la réaction de Serravalle. Au début il lui sembla que l'antiquaire, qui à ce moment-là lui tournait le dos car il regardait dehors par la fenêtre, était en train de pleurer. Puis celui-ci se retourna et Montalbano se rendit compte qu'il se retenait au contraire d'éclater de rire. Mais il suffit que durant un instant ses yeux croisent ceux du commissaire pour que l'éclat de rire explose dans toute sa violence. Serravalle riait et pleurait. Puis, avec un effort évident, il se calma.

— Il vaut peut-être mieux que je vienne avec vous, dit-il.

— Je vous le conseille, dit Montalbano. Ceux qui vous attendent à Bologne ont d'autres intentions.

— Je mets deux trois choses dans ma valise et nous y allons.

Montalbano le vit se pencher sur la valise qui se trouvait sur un coffre. Quelque chose, dans un geste de Serravalle, l'inquiéta et le fit se lever.

— Non, s'écria le commissaire. Et il bondit en avant.

Trop tard. Guido Serravalle s'était déjà enfilé le canon d'un revolver dans la bouche et avait appuyé sur la détente. Etouffant à grand-peine la nausée, le commissaire nettoya des mains son visage d'où coulait une matière visqueuse et chaude.

18

A Guido Serravalle, la moitié de la tête était partie, la détonation dans la petite chambre d'hôtel avait été si forte que Montalbano entendait une espèce de zinzin dans les oreilles. Comment était-il possible que personne encore ne fût venu frapper à la porte et demander ce qui s'était passé ? L'hôtel della Valle avait été construit à la fin du XIXe siècle, les murs étaient épais et solides et peut-être à cette heure, les étrangers étaient-ils tous en balade à photographier les temples. Tant mieux.

Le commissaire alla dans la salle de bains, s'essuya du mieux qu'il put ses mains collantes de sang, souleva le combiné.

— Le commissaire Montalbano, je suis. Dans votre parc de stationnement, il y a une auto de service, faites venir l'agent. Et envoyez-moi tout de suite le directeur.

Le premier à arriver fut Gallo. Quand il vit son supérieur avec du sang sur le visage, il s'effraya.

— *Dottore, dottore*, blessé, vous êtes ?

— Calme-toi, c'est pas mon sang, c'est celui de ce type, là.

— Et qui est-ce ?

— L'assassin de Mme Licalzi. Mais pour l'instant, ne dis rien à personne. Cours à Vigàta et fais envoyer par Augello un fax à Bologne : ils doivent tenir sous étroite surveillance un type, un semi-délinquant dont ils auront certainement les coordonnées, il s'appelle Eolo Portinari. C'est son complice, conclut-il en indiquant le suicidé. Ah, écoute. Reviens tout de suite ici, après.

Sur le seuil, Gallo s'écarta pour laisser passer le directeur, un colosse de deux mètres de haut et d'une largeur en proportion. Ayant vu le corps avec une demi-tête et les ravages dans la chambre, il fit « eh ? » comme s'il n'avait pas compris une question, tomba à genoux au ralenti et ensuite se recroquevilla, tête vers le sol, évanoui. La réaction du directeur avait été si rapide que Gallo n'avait pas eu le temps de s'en aller. A deux, ils traînèrent le directeur dans la salle de bains, l'appuyèrent au bord de la baignoire, Gallo saisit la douche-téléphone, ouvrit le jet, le lui dirigea sur la tête. L'homme se reprit aussitôt.

— Quelle chance ! Quelle chance ! murmura-t-il en s'essuyant.

Et comme Montalbano le regardait d'un air interrogateur, le directeur lui expliqua, confirmant ce que Montalbano avait déjà pinsé :

— Tout le groupe des Japonais est sorti.

Avant qu'arrivent le juge Tommaseo, le Dr Pasquano, le nouveau directeur de la Criminelle et ceux de la Scientifique, Montalbano dut se changer de costume et de chemise, cédant aux instances du directeur qui voulait lui prêter ses affaires. Dans les habits du géant, il y avait de la place pour deux comme lui ; avec les mains qui se perdaient dans les manches et le pantalon en accordéon, on aurait dit le nain Bagonghi. Et cela le mettait de mauvaise humeur, beaucoup plus que de raconter à chacun, en reprenant chaque fois du début, les détails de la découverte du meurtre et du suicide. Entre questions et réponses, entre observations et précisions, entre les si et les peut-être, les mais et les cependant, il fut libre de rentrer à Vigàta, au commissariat, vers les huit heures du soir.

— Tu as rétréci ? lui demanda Mimì quand il le vit.

A un poil près, il réussit à éviter la torgnole de Montalbano qui, sinon, lui aurait cassé le nez.

Il n'eut pas besoin de crier « tout le monde » pour que tous spontanément s'aprésentent. Et le commissaire leur donna la satisfaction qu'ils méritaient : il leur raconta par le menu, de la naissance de ses soupçons envers Serravalle jusqu'à la tragique conclusion. L'observation la plus intelligente vint de Mimì Augello.

— Heureusement qu'il s'est flingué. Ça aurait été difficile de le garder en prison sans preuve concrète. Un bon avocat l'aurait fait sortir tout de suite.

— Mais il s'est suicidé ! s'exclama Fazio.

— Et qu'est-ce que ça signifie ? rétorqua Mimì. Pour ce pauvre Maurizio Di Blasi, ça a été comme ça aussi. Qui vous dit qu'il n'est pas sorti de la grotte une chaussure à la main en espérant que les autres, comme c'est arrivé, croient que c'est une arme et lui tirent dessus ?

— Excusez, commissaire, mais pourquoi il criait qu'il voulait être puni ? demanda Germanà.

— Parce qu'il avait assisté au meurtre et qu'il n'avait pas réussi à l'empêcher.

Comme tous sortaient de son bureau, il se souvint d'une chose que, s'il ne la faisait pas tout de suite, il risquait de se l'oublier complètement dès le lendemain.

— Gallo, viens là. Ecoute, il faut que tu descendes à notre garage, tu prends tous les papiers qui sont dans la Twingo et tu me les amènes. Parle avec notre carrossier, dis-lui de nous faire un devis pour la remettre en état. Puis, si lui veut s'intéresser à la revendre d'occasion, qu'il le fasse.

— *Dottore*, vous pourriez m'écouter juste une minute ?

— Entre, Catarè.

Catarella était rouge, embarrassé et sur la réserve.

— Qu'est-ce que tu as ? Parle.

— Ils m'ont adonné la feuille de résultats de la première simaine, *dottore*. Le concours d'informe-mathique va du lundi à vendredi matin. Je voulais vous la faire voir à vous.

C'était une feuille de papier pliée en deux. Il avait obtenu tous les « excellent » ; à la rubrique

« observations », il y avait écrit : « est le premier de son cours ».

— Bravo Catarella ! Tu es le porte-drapeau de notre commissariat !

Catarella était au bord des larmes.

— Vous êtes combien dans votre cours ?

— Amato, Amoroso, Basile, Bennato, Bonura, Catarella, Cimino, Farinella, Filippone, Lo Dato, Scimeca et Zìcari. Ça fait douze, docteur. Si j'avais eu sous la main l'ordinateur, j'aurais pu faire le compte beaucoup plus facilement.

Le commissaire se prit la tête à deux mains.

L'humanité aurait-elle un avenir ?

Gallo revint de sa visite à la Twingo.

— J'ai parlé avec le carrossier. Il est d'accord pour s'occuper de la vente. Dans la boîte à gants, il y avait la carte grise et une carte routière.

— Qu'est-ce que t'as ?

Gallo ne répondit pas, il lui tendit un petit rectangle de carton.

— Je l'ai trouvé sous le siège avant, celui du passager.

C'était une carte d'embarquement pour le vol Rome-Palerme, celui qui atterrissait à l'aéroport de Punta Ràisi à dix heures du soir. Le jour marqué sur le carton était le mercredi de la semaine passée, le nom du passager G. Spina. Pourquoi, se demanda Montalbano, les gens qui prennent un faux nom conservent-ils presque toujours les initiales du vrai ? Guido Serravalle avait perdu sa carte d'embarquement dans la voiture de Michela. Après le meurtre, il n'avait pas eu le temps de la chercher ou alors, il pinsait l'avoir en poche. Voilà pourquoi, quand il en avait parlé, il en avait nié l'existence et avait même fait allusion à la possibilité que le nom du passager ne fût pas le vrai. Mais avec le carton en main, on pouvait maintenant, même si ce serait laborieux, remonter à celui qui avait vraiment voyagé dans l'avion. Alors seulement, il s'aperçut que Gallo se trouvait encore devant le bureau, le visage très sérieux. L'agent dit, d'une voix qui paraissait se dérober :

— Si nous avions regardé avant à l'intérieur de la voiture…

Eh oui. S'ils avaient inspecté la Twingo le lende-main de la découverte du cadavre, les enquêtes auraient tout de suite pris la bonne direction, Maurizio Di Blasi serait encore vivant et son véri-table assassin en prison. Si…

Tout avait été, depuis le début, une succession de méprises. Maurizio avait été pris pour un assas-sin, la chaussure pour une arme, un violon pour un autre et celui-ci pour un troisième, Serravalle vou-lait qu'on le prenne pour Spina… Une fois passé le pont, il arrêta la voiture, mais ne descendit pas. Il y avait de la lumière chez Anna, il sentait qu'elle l'attendait. Il s'alluma une cigarette mais arrivé à la moitié, il la jeta par-dessus la glace baissée, remit en marche, partit.

Ce n'était vraiment pas une bonne idée d'ajouter à la liste des méprises.

Il entra chez lui, ôta les vêtements qui le trans-formaient en nain Bagonghi, ouvrit le réfrigérateur, prit une dizaine d'olives, se coupa une tranche ce caciocavallo.

Il alla s'asseoir sur la véranda. La nuit était lumineuse, le ressac battait lentement. Il ne voulut plus perdre de temps. Il se leva, composa le numéro.

— Livia ? C'est moi. Je t'aime.

— Qu'est-ce qui s'est passé ? demanda Livia, alarmée.

Depuis le temps qu'ils étaient ensemble, Montalbano ne lui avait dit qu'il l'aimait que dans les moments difficiles, carrément dangereux.

— Rien. Demain matin, j'ai à faire, je dois écrire un long rapport au Questeur. S'il n'y a pas de complications, dans l'après-midi, je prends un avion et j'arrive.

— Je t'attends, dit Livia.

Le voleur de goûter
Andrea Camilleri

Un retraité poignardé dans un ascenseur, un pêcheur tunisien abattu au large de Vigàta, une prostituée radieuse, un colonel nain, une vieille institutrice handicapée, un enfant abandonné... C'est en ronchonnant, fidèle à lui-même, que le commissaire Montalbano tente de trouver le lien qui relie cet ensemble hétéroclite de personnages. En ronchonnant avec d'autant plus d'aigreur que dans l'affaire s'infiltrent les services secrets, incarnation d'une Italie occulte et malfaisante...

(Pocket n° 11391)

" Le secret de la grotte "

Chien de faïence
Andrea Camilleri

Tano u Grecu, un mafieux de grande envergure menacé
par ses pairs, décide de se livrer au commissaire
Montalbano. Mais il est abattu par ses anciens complices
après avoir révélé l'existence d'une cache d'armes dans
une grotte des environs de Vigàta. Une grotte qui n'abrite
pas seulement des armes, mais aussi les corps de deux
amants enlacés, morts une cinquantaine d'années plus
tôt et sur lesquels veille un chien de faïence...

(Pocket n° 11347)

Il y a toujours un Pocket à découvrir

" Corps au Bercail "

La forme de l'eau
Andrea Camilleri

La décharge publique le "Bercail" est le lieu de rencontre attitré de la faune de Vigàta, en Sicile orientale.
Dans ce repère de dealers et de prostituées, le corps de
l'ingénieur Luparello, parrain politique de la région, est
retrouvé un soir, le pantalon sur les chevilles. Le commissaire Montalbano, chargé de l'enquête, doit louvoyer
entre pouvoirs officiels et mafia pour éclaircir le mystère.
Il comprend rapidement, grâce à son ami d'enfance
Gégé Gullotta, maquereau et dealer, que Luparello
n'est pas mort dans la décharge.

(Pocket n° 11264)

Il y a toujours un Pocket à découvrir

Achevé d'imprimer sur les presses de

BUSSIÈRE

GROUPE CPI

à Saint-Amand-Montrond (Cher)
en mars 2003

POCKET - 12, avenue d'Italie - 75627 Paris Cedex 13
Tél. : 01-44-16-05-00

— N° d'imp. : 31590. —
Dépôt légal : avril 2003.

Imprimé en France